– Я не была замужем. – Вранье всегда давалось премьер-министру легко. С правдой было гораздо сложнее. В его политическом мире одно-единственное правдивое высказывание могло обрушить или взвинтить курс фунта стерлингов.

Премьер-министр сел на стульчак и принялся искать в сумочке помаду и румяна. После бритья прошло по меньшей мере десять часов, и уже пробивалась щетина. Он растер румяна по лицу, пока оно не покрылось маской цвета печенья, затем тщательно прошелся помадой по контуру губ.

Сегодня утром на Радио-4 супруга премьер-министра Адель Флорэ-Клэр сказала Джону Хамфризу, что человеческая жизнь священна, а поскольку бородавки растут на человеческом теле, их также надлежит считать священными и потому хоронить с заботой и уважением, сжигать же их в больничных печах – очевидная ошибка.

– Пирс, я тут с этого чертова поезда схожу. Слушай, пока я еду, поищи в Интернете насчет куриных глаз, ладно? Ну да, где-нибудь в разделе «сбыт субпродуктов», что-то в этом роде. Я ищу рынок сбыта. Мы пока проводим глаза как отходы, а может, это непочатый рынок? Ближний Восток, это я навскидку, а если ничего нет, изучим как вариант породу без глаз, зачем цыплятам глаза, они же не занимаются вышиванием у себя в инкубаторе. Ну да, мелочь, но выйдет экономия в пятьдесят кубических футов в рефрижераторе, пригодится.

На премьер-министра навалилась депрессия, он буквально ощутил, как исчезает его знаменитая улыбка. Он попытался ее удержать и побрел в ванную – проверить, удалось ли. Улыбка не давала ему развалиться, создавала вокруг него защитное кольцо – в точности как обещает реклама зубной пасты.

SUE TOWNSEND

NUMBER TEN

СЬЮ ТАУНСЕНД

НОМЕР 10

перевод с английского

АНДРЕЯ ЕГОРИХИНА

Фантом Пресс
МОСКВА
2004

ББК 84.4 (Вел.)
Та 12

Произведения Сью Таунсенд публикуются с любезного разрешения автора и при содействии литературного агентства **The Marsh Agency Ltd**.

Редактор серии Игорь Алюков
Оформление Андрея Румянцева

Та 12 **СЬЮ ТАУНСЕНД**
Номер 10. Роман. – Пер. с англ. – М.: «Фантом Пресс», 2004. – 320 с. (Серия «Зебра»)
ISBN 5-86471-338-4

Политики – существа из комиксов. Во всяком случае, на людей они похожи мало. Сколько ни вглядывайся в очередного политического деятеля, увидеть человеческие черты вряд ли удастся. Вспомните хотя бы Буша-младшего или...

Но даже у политиков случаются срывы. Однажды премьер-министр Великобритании, выступая в парламенте, опозорился на всю страну. И дабы лидер нации не мозолил глаза великобританскому народу, решено было удалить его с глаз долой. Так улыбчивый Эдди Клэр получил недельный отпуск и решил провести его, поближе ознакомившись с народными чаяниями. Переодевшись в женское платье, в сопровождении полисмена-интеллектуала премьер покинул дом номер 10 по Даунинг-стрит и отправился в путешествие по стране. За неделю незадачливому премьер-министру пришлось побывать в самых странных местах: в бесплатной больнице; в гостинице, которая прежде была психушкой, в трущобе; в наркопритоне и даже в жилище пенсионерки. Новая жизнь, полная приключений, понравилась Эдди Клэру гораздо больше, чем блеклое существование государственного деятеля. Но особенно премьеру понравился его новый имидж – Мэрилин Монро.

Сью Таунсенд написала еще одну едкую и душевную пародию – на сей раз на британского премьера Тони Блэра и его окружение. Очевидная узнаваемость персонажей, острая актуальность темы и фирменная язвительно-беззлобная интонация писательницы сделали книгу главным английским бестселлером 2002 года. Остается лишь сожалеть, что комедии о нашем собственном президенте, написанной с таким блеском, дождаться нам вряд ли суждено.

Колину,
с любовью и благодарностью

Джек Шпрот не любит постного,
Жене нельзя скоромного –
Ни крошки не останется
От пирога огромного.

Джон Кларк. «Англо-латинская паремиология» (1639 г.)

Пролог

Эдвард Клэр чистил зубы в гулкой ванной дома номер пять по Анн-стрит в Эдинбурге. Он считал про себя движения щетки, как учила мама – ни в коем случае не меньше двухсот. Он уже почти закончил, когда вспомнил, что накануне вечером остановился на ста пятидесяти, потому что не терпелось сесть за книгу – одно из произведений г-жи Блайтон*, где речь идет о «Славной пятерке» и злом смотрителе маяка.

Достигнув рубежа в двести движений, он сошел с уютного резинового коврика перед умывальником и совершил еще пятьдесят движений щеткой, переступая босыми ногами по холодному линолеуму. Он знал, что Бог наблюдает и радуется, видя, как примерно ведет себя Эдвард Клэр.

Прополоскав рот после зубной пасты, Эдвард Клэр протер умывальник тряпочкой, которую мама повесила на полотенцесушитель. После чего подошел к унитазу и аккуратно поднял сиденье из крас-

---

* Энид Блайтон (1897–1968) – самая популярная детская писательница за всю историю английской литературы (написала более 600 произведений). Известна прежде всего как автор детских детективов и сказок. – *Здесь и далее примеч. перев.*

ного дерева. Потом спустил нейлоновые пижамные штаны, оторвал от катушки на стене квадратик туалетной бумаги марки «Бронко» и аккуратно обернул им свой крошечный розовый пенис.

Он все еще писал, когда в гостиной на первом этаже раздался телефонный звонок. Звонили назойливо и долго. Мама в больнице и не может снять трубку, но где же папа?

Но вот хлопнула дверь в сад, отец протопал по паркету, и звонки прекратились. Эдвард услышал, как отец прогудел: «Алло, Перси Клэр».

Эдвард стряхнул последние капельки мочи в унитаз, освободил пенис от бумаги и натянул штаны. Дважды кратко дернул цепочку унитаза и посмотрел, как туалетная бумага, покружившись, постепенно исчезает. Когда вода в унитазе успокоилась, он опустил сиденье. Дверь в сад опять хлопнула, и Эдвард, наскоро помыв руки, прошел к окну спальни. Отец удалялся по неровно вымощенной дорожке; плечи его тряслись, словно от хохота. Эдвард улыбнулся, предвкушая, как за завтраком отец поделится с ним шуткой или анекдотом.

Мама лежала в больнице уже семь недель и три дня, с тех пор как родилась Памела, сестра Эдварда, – и теперь за завтраком папа разговаривал с ним, а не читал письма или «Морнинг стар»*.

Вчера утром отец спросил Эдварда, не желает ли он научиться играть на каком-нибудь музыкальном инструменте. Эдвард торопился доесть хлопья, пока они не размокли, и поэтому быстро ответил: «Да, папа». И назвал первый инструмент, который пришел в голову. «На гитаре». Отец рассмеялся: «На ги-

* Газета Коммунистической партии Великобритании.

таре! По-моему, мама собиралась... По-моему, мама мечтает, чтобы ты играл с ней в ее кружке по четвергам, так сказать, в струнном квартете».

Эдвард подумал о маминых знакомых, которые собираются по четвергам. До чего же они скучные, когда в прихожей снимают пальто и шляпы. Обычные мужчины и женщины в тяжелой одежде и приличной обуви, с добрыми некрасивыми лицами. А когда они играют на своих инструментах, лица их светятся таким счастьем.

Эдвард увидел, как в саду отец сел на скользкую и пустую зеленую скамейку. Поначалу Эдвард решил, что отец все еще смеется – лицо его растягивала широкая ухмылка. Эдвард улыбнулся. В последнее время, после того как маму положили в больницу, отец все время ходит такой мрачный. Может, это звонил тот врач с черными усами и красной губной помадой? Может, маму выпишут?

Эдвард обрадовался, что его молитва услышана. Он взглянул на аляповатое изображение Иисуса над своей кроватью. Слева у Иисуса под мышкой ягненок, а в правой руке пастушеский посох. У босых ног сгрудились еще овцы. Отец Эдварда иногда бурчал по поводу картинки: «Эдди, твой чертов Иисус похож на Эррола Флинна* в женской одежде». Зато маме, наверное, Иисус в спальне Эдварда нравился, потому что раз в неделю она до блеска протирала стекло в рамке розовым тампоном.

Эдвард напряг все силы, стараясь открыть окно. Наконец рама поднялась настолько, что он сумел

* Эррол Флинн (1909–1959) – популярный английский актер, в числе прочих ролей исполнил главные роли в фильмах «Капитан Блад» и «Приключения Робина Гуда».

просунуть в щель голову. До него донесся гниловатый запах осени, а вместе с ним и звуки, которые издавал отец, – такие ужасные, что Эдварду от страха чуть не стало плохо. Отец выл – точь-в-точь как всякие иностранки в новостях по телевизору.

Эдвард втянул голову обратно в спальню и спрыгнул с подоконника. Сел, привалившись спиной к стене. Повезло еще, что отец не заметил. Он нащупал в пижамных штанах пенис и сжал его в кулаке. Мама не велела там трогать, но Эдвард знал, что сегодня утром мама не узнает.

В тот день Эдвард не пошел в школу. Он тихо сидел в своей комнате и прочитал две главы.

В доме потихоньку собирались люди. Музыканты, папины друзья коммунисты, соседи, прихожане англиканской церкви, где Хезер играла на органе – на свадьбах, крестинах и похоронах.

Никто так и не сказал Эдварду, что его мать умерла. Родственники, все в слезах, обнимали его и рыдали над ним.

Его любимая тетка Джин воскликнула:

– Ах, Эдди, как же мы теперь без нее?

Все думали, что кто-то ему уже сказал, поэтому никто ничего так и не сказал. В дни перед похоронами Эдвард превратился в шпиона. Он подслушивал под дверями, жадно читал любой клочок бумаги.

В миг, когда маму сожгли и превратили в пепел, он отковыривал окаменелость от скалы на школьной экскурсии в Бамбург*. Взрослые решили, что похороны станут слишком большой травмой для

* Место скопления окаменелостей динозавров в графстве Нортумберленд.

такого малыша. Эдвард подслушал, как тетя Джин сказала его отцу:

– Ему нельзя идти, Перси. Бедняжка был противоестественно привязан к матери.

Из их разговора он узнал, что Памелу, его сестренку, которую он еще не видел, увезут в страну под названием Англия и она будет там жить с тетей Джин и дядей Эрнестом.

В одиннадцать часов, 1 октября 1959 года, Эдвард прекратил ковырять скалу и вытащил из кармана листок, на котором было написано: «Похороны Хезер Мери Клэр».

Он представил маму в гробу. Во что ее одели? Причесать не забыли? Точно ли она умерла? А что, если этот врач с накрашенными губами и черными усиками ошибся и мама вовсе не умерла, а просто заснула? Ведь папа сказал своим друзьям коммунистам, что этот доктор – позор всей этой сраной системы здравоохранения.

Эдвард стиснул в пальцах похоронное приглашение и опустился на колени. Осколки скалы больно впились в голые коленки, но Эдвард не обратил внимания. Он старался молиться Иисусу, но из головы все не шла картинка: вот мама просыпается в гробу и зовет, чтобы он ее освободил. А разве он сможет? Он же за сто с лишним миль от нее. Даже если прямо сейчас побежать на скорый поезд, все равно не успеть.

Тут раздался окрик учителя геологии, мистера Литтла:

– Клэр, пошевеливайся! До прилива полчаса.

Остальные мальчишки, долбившие скалу, оглянулись и тут же успокоились: сердитый мистер

Литтл орал не им, а этому Клэру, который по десять раз на дню хнычет без причины.

Джек Шпрот впервые осознал, что он беден, грязен и не из приличной семьи, когда мать послала его к соседям одолжить кастрюлю. Ему было шесть лет, и он брел по снегу в парусиновых туфлях. Носить резиновые сапоги была очередь Стюарта, его старшего брата. Стюарта послали в магазин с запиской, в которой родители просили отпустить в кредит нарезанный белый батон, две банки фасоли и десяток дешевых сигарет.

Джек увидел красный ковер, ощутил тепло от батареи рядом с входной дверью. В конце коридора виднелась кухня. На конфорках стояли четыре кастрюли. Из-под крышек вырывался пар, и в воздухе витал аромат, от которого у Джека тотчас потекли слюнки.

Тут появилась мама Грэма и спросила:

– Джек, а где твое пальто?

– Не знаю, – ответил он.

– В такую погоду нельзя ходить в одной рубашке. Мама знает, что ты без пальто?

Джек объяснил, что мать послала его спросить, не одолжат ли им кастрюлю, а то их кастрюля прохудилась, потому что мама задремала, картошка-то и сгорела.

Миссис Уорт уставилась на него в неверии:

– У вас только одна кастрюля?

– Одна, – подтвердил Джек.

Грэм Уорт, маячивший рядом с матерью, загоготал. С кухни доносился чудный запах, словно пахла соблазнительная корочка.

– Заходи и закрой дверь, – раздраженно велела миссис Уорт.

Джек закрыл входную дверь и протопал по коридору. Грэм Уорт вернулся в гостиную, шмякнулся на синий пушистый коврик перед газовым камином и продолжил смотреть «Синего Питера»*. Рядом с камином стояла мусорная корзина, и с ее края свисала апельсиновая кожура. Джек не успел еще разглядеть кожуру, а Грэм уже протянул руку с апельсином, который он чистил перед тем, как открыть дверь.

Мать Грэма загремела посудой в шкафчике, который ломился от металлической утвари. Наконец она распрямилась, и Джек увидел у нее в руках кастрюлю с крышкой. Миссис Уорт протерла нутро кастрюли красно-белым клетчатым полотенцем, закрыла ее крышкой и вручила Джеку.

– Пальто надо носить, – сердито сказала она.

– Его Стюарт надел, – ответил мальчик странным баском.

Миссис Уорт наблюдала, как Джек шагает по ее чистенькой дорожке, с которой тщательно сметен весь снег, как он переходит замерзшую проезжую часть и направляется к своему дому номер десять. Щедрый добрый снег скрыл поломанные игрушки, мусор и старые автопокрышки, которые захламляли маленький палисадник Шпротов. По крайней мере сейчас их дом выглядел так же чисто и респектабельно, как остальные дома на улице.

---

* Образовательно-развлекательная телепрограмма для детей, выходит с 1958 г. два раза в неделю.

Глава первая

Тридцатого марта констебль Джек Шпрот стоял на пороге дома Номер Десять по Даунинг-стрит, потея в пуленепробиваемом жилете, и беседовал с премьер-министром. Его только что доставил автомобиль из ангольского посольства. Сквозь редеющие волосы премьер-министра пробивалось солнце.

– Как ваша мать, Джек?

– Поправляется помаленьку, спасибо, сэр. Сегодня вечером поеду в Лестер, проведаю.

– Групповое хулиганство – подлинная проблема, – сказал премьер-министр.

Джек согласился – в последний раз он видел лицо матери все в синяках цвета грозовых туч.

Премьер-министр сжал руку Джека и шепнул:

– Передайте ей, что я буду за нее молиться, Джек. Бог слышит все.

Джек не очень утешился. Премьер-министр робко улыбнулся в наставленные на него камеры, расстегнул пиджак темно-синего костюма-тройки и помахал фотографам. Невидимая рука раскрыла дверь, и премьер-министр исчез внутри.

Джек сообщил в крошечный микрофон на лацкане, что ПМ доставлен благополучно. Джек сомневался, что от молитвы премьер-министра его матери будет какой-то толк. Она убежденная атеистка, бросила верить в Бога, когда его брат, Стюарт, умер от передозы дрянного героина в убогой комнатушке в Бристоле.

Голос в ухе Джека сказал, что на подходе к дому Номер Десять находится миссис Амелия Бадсток с группой подростков, они намерены вручить петицию, в которой требуют создать места досуга для молодежи в городе Ньютаун-Линфорд.

Джек буркнул «о'кей» и приготовился к приему первой из пяти ожидавшихся сегодня петиций.

В доме Номер Десять шел обычный день. Сотни раз блестящая черная дверь открывалась и закрывалась, впуская бизнесменов, цветочников, диктаторов, нефтяного шейха, группу пенсионеров, госслужащих, маникюршу, массажиста, Су Ло – няню Поппи, министров, секретарей и одетых телефонистами офицеров МИ-5.

Посетители настолько привыкли видеть у двери полицейского, что просто забывали, что под мундиром и каской скрыто разумное существо с ушами и мозгами. Джек слышал и запоминал обрывки бесед, реплики.

Внутри здания премьер-министр обсуждал пути спасения Африки со своим ближайшим политическим другом и коллегой, пресс-секретарем Александром Макферсоном.

Макферсон пользовался популярностью с младых ногтей. Он рос младшеньким из шести детей, остальные пятеро – сплошь девочки – все детство его баловали и во всем потакали, и, если что-то было не по нему, малыш Макферсон мигом разъярялся и закатывал жуткий скандал прямо в торговом центре спального района, где обитало его семейство.

Первым воспоминанием Макферсона было, как его везут в коляске по парку, а сестры препираются, чья очередь толкать коляску. Женское внимание он воспринимал как должное и девственности лишился в тринадцать лет. Сестры обожали романы с сильными героинями – «Грозовой перевал», «Что сделала Кэти», «Лолита» – и читали про них ему перед сном.

После оксфордского Баллиол-колледжа его занесло в издательский бизнес, и он стал редактором отдела писем эротического журнала «Фетиш». Вооружившись трудом Краффта-Эбинга*, Макферсон сочинял непристойные ответы на письма читателей, письма были в основном жалостливые, но попадались и хвастливые.

В предвыборную пору ходил гнусный слух, будто именно через эту переписку Макферсон и познакомился с Эдвардом Клэром, на самом же деле они встретились впервые в Кембридже, куда Макферсон привез несколько своих подружек на концерт любительской рок-группы «Грязные Намеки». Будущий премьер-министр играл на бас-гитаре, а его волосы локонами спадали до плеч. Но Макферсон в возмущении ушел, прихватив своих девиц, когда Клэр объявил очередной номер: «Надеюсь, это вам тоже понравится, песня называется “Рок вокруг

* Рихард Фрайхер фон Краффт-Эбинг (1840–1902) – немецкий психиатр, автор исследований на тему половых извращений.

креста" и появилась на свет благодаря Господу Всемогущему».

Позже их пути пересеклись на благотворительном приеме в палате общин, куда издателей пригласили для сбора пожертвований в фонд Лейбористской партии. Макферсон выложил пятьдесят фунтов и сказал Эдварду Клэру – тогда еще лидеру оппозиции, – что именно должны сделать лейбористы, чтобы выиграть выборы:

– Надо все спускать на тормозах, надо лавировать и попадать в струю, надо быть другом для всех мужиков и нравиться всем бабам, и если пресса не станет врать, что ты насмерть запинал собаку или что-то типа того, и если ты будешь всем мило улыбаться и помнить о манерах, и если я займусь твоим имиджем, то ты прорвешься.

Теперь эта парочка сидела в кабинете дома Номер Десять. На кофейном столике лежала папка с курсовой работой по географии к выпускным экзаменам средней школы.

– Мы можем спасти Африку, Алекс. – Голос премьер-министра дрожал от волнения.

Александр стащил свое тучное тело с подлокотника кремового дивана и заходил по комнате.

– Африку? – повторил он. – Шутишь?

Это был не риторический вопрос. Александр полагал, что Африка – могила для белого человека, а желание *спасти* Африку – признак серьезного умственного расстройства. Ничто и никто не в силах спасти Африку, кроме самих африканцев.

Алекс начал:

– Вот что я тебе скажу, Эд. Вряд ли уместно сейчас говорить об Африке, ведь мы не сумели добиться даже того, чтобы поезда ходили по расписанию.

Но Эдвард с готовностью парировал:

– Африка – темное пятно на совести мира. Кто-то обязан вывести людей из мрака умирающей экономики и привить им чувство финансовой ответственности.

– Эд, надо разобраться с охотой на лис, – нетерпеливо возразил Алекс, – прежде чем рисковать своей жопой на африканском континенте.

– Ты все-таки не выражайся, Алекс, – попросил Эдвард, – в соседней комнате Адель кормит Поппи.

– Извини, что я ржу, только разве не Адель написала книжку «Роль жопы в истории»?

Улыбка на миг исчезла с лица Эдварда.

– Эта книга – серьезное исследование. Генри Киссинджер сказал мне, что держит ее на тумбочке в спальне.

Адель крикнула из соседней комнаты:

– И эта книга двенадцать недель подряд возглавляла список бестселлеров «Нью-Йорк таймс».

– Ну ладно, – сказал Александр, – давай хоть с чем-нибудь разберемся, Эд, а? На этой неделе мы просто в дерьме. В газетах истерика, преступность растет; по сведениям агентства «Раунтри», пять из десяти граждан нашей великой державы в каждый данный момент пребывают в отрубе от алкоголя или наркоты. И кстати, в понедельник начнут забастовку работники погребальных контор, если не отвоюют себе десять процентов к зарплате и тридцатипятичасовую рабочую неделю.

– Но в Африке каждые десять секунд умирает ребенок – от инфекции, полученной через питьевую воду.

– Ага, у меня при этой мысли сердце кровью обливается, – согласился Алекс. – Только у нас тут трупняков будет тоже по пояс, если не решим проблему с их обмыванием, а на носу жара, как обещает Майкл Рыбья Рожа... Ничего, если я верну тебя на *наш* черный континент, Эд?

В кабинет вошел Дэвид Самуэльсон, о его появлении возвестил аромат «О Соваж». В это утро Дэвид неуклюже опрокинул на себя флакон, но не успел переодеть рубашку и пиджак, которые насквозь пропитались парфюмом.

Самуэльсон был аристократом рабочего движения. Его дед, Гектор Самуэльсон, организовал в выставочном комплексе «Эрлз Корт» самую первую выставку «Идеальный дом», которая побила рекорды посещаемости, среднее число посетителей тогда перевалило за триста тысяч в день. Считалось, что именно эта выставка с ее революционными паровыми утюгами, антипригарными сковородками и кофейными столиками, сделанными по космическим технологиям, пробудила в британской общественности ненасытную жажду к потребительским товарам длительного пользования и послужила трамплином для производственного бума.

Один современник из Оксфорда назвал Дэвида, внука Гектора Самуэльсона, «дьявольски умным», другой современник, которому он задолжал крупную сумму денег, назвал его «злодеем».

Наименее примечательным свойством Дэвида Самуэльсона была гомосексуальность. Его слабость к португальским официантам была общеизвестна, и, чтобы находиться к ним поближе, он поселился в просторном доме в Ладброук-Гроув. Время от времени репортеры фотографировали Дэвида с очередным дружком-официантом, но невозможно ведь вечно удерживать интерес публики, – в конце концов, все смазливые молодые португальцы в униформе на одно лицо.

Другой слабостью Самуэльсона были деньги, он обожал роскошь. Дэвид вырос, таскаясь по шахтам и фабрикам на промышленном севере, где его дед и отец баллотировались в парламент от лейбористов. Уже в детстве у него сформировалось стойкое отвращение к запахам и быту пролетариата. Господи, да ведь даже пища на их тарелках – это же кучи не пойми чего, которые переваливаются через край!

В школе Дэвид преуспевал по истории, демонстрируя зрелое и сочувственное понимание эволюции рабочего движения в Великобритании. Порой его до слез трогали описания чумазых, истощенных фабричных детишек, которые засыпали на ходу, босиком возвращаясь с фабрики в свои переполненные лачуги.

Книжный пролетариат нравился Дэвиду гораздо больше, чем реальный, который его ужасал, и он содрогался, заслышав на улице громкие и грубые рабочие голоса. Не то чтобы Дэвид всех их ненавидел – иных он даже приглашал на вечеринки, – но он мечтал о временах, когда в каждой пролетарской кухне страны будет лежать терка для сыра пармезан.

Самуэльсон произнес с характерным драматизмом:

– Я просто обязан с тобой поговорить, Эдди.

– У нас совещание, Дэйв, – отмахнулся Александр.

Эдвард лишь посмотрел на Дэвида.

– Нет, – продолжил тот, – ты просто должен выслушать, Алекс, это важно. Я изучил данные фокусной группы. Всю ночь глаз не сомкнул, но это не имеет значения, – мученически добавил он. – Пора раз и навсегда целиком изменить имидж нашей партии, начиная с названия. Я провел разведку и вижу, что время настало.

Эдвард и Александр целые две минуты помалкивали, пока Дэвид излагал свои планы:

– Мы уберем из названия партии слово «лейбор», то есть «труд». У этого слова совершенно негативная коннотация, оно ассоциируется с потной и тяжкой работой, с профсоюзным движением и затяжными болезненными родами. Вдумайтесь: ведь почти никто из нас даже не потеет на службе, а большинство беременных женщин добровольно выбирают кесарево сечение – как Адель.

– Если из названия «Новая лейбористская» убрать «лейбористская», – сухо заметил Александр, – то останется только одно слово: «Новая». Ты меня прости, но это меня не греет.

– А какие у тебя предложения, Дэвид? – спросил Эдвард.

Дэвид длинными бледными пальцами зачесал шевелюру назад.

– Пока никаких, я просто поставил проблему. Прежде чем сосредоточусь на решении, хочу услышать ваши предложения.

– Ты предлагаешь нам оставить только слово «Новая»? – уточнил Эдвард.

Александр возмутился:

– Как это, оставить «Новая»? «Новая» была новой в 1997 году, сейчас уже старее и не придумаешь.

Эдвард посоветовал:

– Ты лучше пойди и поразмысли над решением, Дэвид. А то останемся ни с чем. Вообще.

И премьер-министр уставился в отчет службы безопасности: «Боб Маршал Эндрюс, депутат парламента, Королевский советник». Отчет лежал на столе и ждал подписи, а Эдвард ничего не понимал. У партии нет имени. Эдварду казалось, словно он расщепляется на элементы и разлетается в стороны. Он извинился и прошел в свой личный туалет, закрыл дверь, сел на край ванны, потом вынул два листочка туалетной бумаги марки «Бронко» из пакетика, который держал в шкафчике под умывальником, и со знанием дела обернул пенис. Через несколько мгновений тишины он спустил бумажки в унитаз, вымыл руки и улыбнулся своему отражению в вогнутом зеркале для бритья, которое увеличило лицо до гигантских размеров и заверило его, что он все еще существует.

Затем Эдвард вернулся в кабинет, где Алекс с Дэвидом все еще спорили о законопроекте об охоте на лис. Дэвид предлагал вместо живых лис использовать голографические изображения, которые спутники с орбиты будут проецировать в охотничьи угодья всей Великобритании.

Александр орал:

– А по мне, так хоть распни всех этих рыжих сучек, уже запарили эти хреновы дебаты.

Когда они ушли, Эдвард сел за стол и подписал документ, разрешающий контрразведчикам из МИ-5 вести прослушивание дома, автомобиля и офиса Боба Маршала Эндрюса, депутата парламента, Королевского советника.

В комнату вошла Адель и попросила:

– Эд, милый, останься и полюбезничай с журналисткой, ради меня, ладно? Улыбнись ей и погладь меня по волосам. Ее зовут Сюзанна Николсон, она редактор отдела женской прозы в «Джой». Это новый журнал, они поместят меня на обложку.

Нос у Адель был необычайно длинный. Ее отец, Ги Флорэ, увидев дочку буквально через мгновение после появления ее на свет, заявил: «Mon dieu, ma pauvre enfant. Elle est Pinocchio»*.

Эдвард сунул нос между пахнущих молоком грудей и с хрипотцой сказал:

– Ты должна быть на развороте журнала, Адель.

– Какой он славный, – прошептала Сюзанна Николсон, когда премьер-министр поцеловал жену, погладил ее по голове и вышел из комнаты, бесшумно и почти виновато прикрыв за собой дверь.

Адель вытянула длинные ноги и отхлебнула чай с ромашкой.

– Славный, но не тщеславный.

Сюзанна вспомнила о своем муже, который в семь утра хлопнул дверью, крикнув напоследок: «Чертова дура!» Он разозлился, когда она призналась, что забыла, в какую из трехсот пятнадцати химчисток Лондона сдала три его сшитых на заказ костюма. Квитанция таинственно пропала. Ее не было ни в одной из многочисленных сумочек, не было в карманах одежды, в машине, в ящиках столов и шкафов, ни дома, ни на работе. Целую неделю Сюзанна увиливала, а потом расплакалась и выложила мужу страшную правду. Она объясняла случившееся стрессом – ей ведь предстоит интервью с Адель Флорэ-Клэр.

---

* Боже мой, мое бедное дитя. Она же просто Пиноккио (*франц.*).

– Это же самая умная женщина в мире, – причитала Сюзанна. – О чем я стану ее спрашивать? Ведь она меня заживо съест!

Сюзанна наблюдала, как Адель снимает телефонную трубку и гнусавит:

– Венди, милочка, нам бы еще этого *чудного* чайку.

Сюзанна спешно застенографировала: «Нос кошмарный. Кожа безупречная, макияж профессиональный, зубы отбелены (недавно), туфли от "Прада", узнать цену на Бонд-стрит. Вульгарный акцент отчетливее, когда говорит по телефону».

Адель издавала в телефон короткие сочувственные звуки, адресуя их явно расстроенной Венди. Затем взглянула на часы, бросила Сюзанне: «Минуточку» – и бодро произнесла в трубку:

– Единственный здравый вариант – ампутация. – Она собралась положить трубку, но Венди, очевидно, желала продолжить разговор. – Только не сейчас, Венди, я занята.

Положив трубку, Адель улыбнулась Сюзанне:

– Прямо и не знаю, звонишь насчет чаю, а тебя втягивают в чужую психодраму. Бедняжка Венди, это наша экономка. Ее сын, Барри, совершенный олух, между нами, покалечился на своем мотоцикле. Нога у него никак не заживает, он валяется в больнице на дико дорогих антибиотиках... Конечно, все это не для публики...

Сюзанна сделала серьезное лицо.

– Разумеется, у вас есть право просмотреть текст интервью до опубликования...

– Я не должна была говорить вам о бедняжке Венди, но я так переживаю за персонал, так близко к сердцу принимаю и их маленькие проблемы. Простите, я сейчас постараюсь перестать беспокоиться о Венди и Барри. Ну, давайте, что там у нас.

Сюзанна взглянула на свой список вопросов.

– Хорошо. Каково это, когда журнал «Пипл» называет вас самой умной женщиной мира?

Адель скромно улыбнулась:

– Не мира. Только Европы.

Сюзанна перешла ко второму пункту:

– Каков типичный день в жизни Адель Флорэ-Клэр?

Адель рассмеялась:

– Не бывает типичных дней. С философской точки зрения, нет и таких вещей, как «жизнь» или «день». Что вы имеете в виду под «жизнью» и «днем»?

Сюзанна почувствовала, как у нее запульсировало в виске.

– Ладно. Чем, в таком случае, вы занимались вчера?

На лице Адель появилось озадаченное выражение:

– Вчера? То есть в предыдущие двадцать четыре часа?

Сюзанне хотелось заорать на самую умную женщину Европы, но тут открылась дверь и особа с лошадиным лицом и красными опухшими глазами внесла поднос со стеклянным чайником и тарелкой шотландского песочного печенья, разложенного веером.

Когда она поставила поднос, Адель хохотнула и спросила:

– Венди, милочка, вы нам смерти желаете? *Песочное печенье?* Господи, ведь это *жир* и *сахар*!

– Мне в отделе снабжения велели покупать все только британское, – сказала Венди.

– Ну а как насчет овсяного, которое мы раньше брали?

– Его теперь по лицензии делают в Польше, – ответила Венди.

Глядя на часы, Адель поплескала в чашках пакетики с чаем, потом резковато заговорила, обращаясь к Венди:

– Насчет ноги Барри. Ведь он сможет передвигаться. На прошлой неделе мы с Эдвардом вручали награду за детское мужество мальчику, которому старинный паровоз отрезал обе ноги. Теперь дитя в инвалидной коляске играет в баскетбол...

Сюзанна взглянула на Венди и с удовольствием заметила, как та с неприкрытой злобой зыркнула в спину Адель, прежде чем закрыть дверь.

– Итак, вернемся к вашему замечательному вопросу. Будильник звонит в полшестого, но к этому времени мы, как правило, уже на ногах. Это ценные минутки, пока на нас не обрушился весь мир. Впрочем, если вас интересует именно *вчера*... Ну да, встали в пять, Эд заварил чай, поговорили. У нас есть правило: утром никакой политики и семейных дел. Разговор вышел интересный.

– О чем? – спросила Сюзанна, хотя не ожидала разъяснений.

– Да так, о транссубстанциации.

– Транссубстанциация... – запнулась Сюзанна. – Это что-то про транспорт?

Адель засмеялась:

– Сразу видно, Сюзанна, что вы не теолог. – Она откинулась на спинку кресла и закинула руки за голову. – Транссубстанциация – это преображение Господне в процессе евхаристии... Следует ли весь хлеб и вино считать телом Христа? – требовательно вопросила она.

– Чудесно, – пробормотала Сюзанна, имевшая весьма смутное понятие о том, что такое евхаристия.

Адель отхлебнула чаю и скорчила гримасу:

– Ну нет, это же не ромашка, это лапсанг соучонг! Честное слово, чем скорее Барри разберется со своей ногой, тем лучше будет для всех нас. – И она продолжила рассказ о событиях предыдущего дня: – В шесть, после молитвы Эда и моей медитации, Эд включил программу «Сегодня», принял ванну, а я душ, потом Венди нам принесла французский завтрак, затем Поппи поела – я все еще кормлю ее грудью, – потом прическа, маникюр, отправила детей в школу, десять минут на газету. Обсудила с Венди угощение для приема «Ассоциации жен и подруг команды "Манчестер Юнайтед"» здесь, в доме Номер Десять. Дальше машиной в Лондонский институт экономики и политики, прочла там лекцию на тему «Феминизация западного мужчины». Машиной сюда. Написала восемьсот слов в «Спектейтор» о перегрузке электронной почты, потом ланч с Камиллой П. Б.*, она обещала меня научить кататься верхом, когда на следующей неделе поедем в Хайгроув**. Что дальше? Ах да, покормила ребенка, ходила покупать обувь с Гейл Ребак***, приняла делегацию монахинь из Руанды, поднялась на второй этаж, съела сандвич со старшими детьми, Морганом и Эстель. Сын сейчас готовится к школьным экзаменам, а дочь только что пошла в школу для девочек в Кэмдене. Машиной к Андре, на урок тенниса, потом на-

---

* Камилла Паркер Боулз – подруга наследника британского престола, принца Чарлза.

** «Хайгроув-Хаус-отель» – элитный отель в графстве Эйр.

*** Глава издательского концерна «Рэндом Хаус», самая авторитетная женщина в издательском бизнесе Великобритании.

зад сюда, душ, прическа, макияж. Потом звонки, письма, электронная почта, снова кормление, прием «Манчестерских жен». Эд пришел, он обожает футбол. Потом... Ах да, на второй этаж к детям, помогла Моргану с сочинением по «Королю Лиру». Прическа, макияж, переоделась, обед во французском посольстве с Шарлоттой Рэмплинг и Эдди Иззардом*. Все согласились, что...

Сюзанна, поклонница Эдди Иззарда, прервала ее:

– А какой он, Эдди?

– В черных колготках и красных туфлях. И похоже, смеялся над чем-то, что известно только ему одному. Не в моем вкусе.

Когда Венди проводила Сюзанну, Адель посидела в одиночестве, проигрывая интервью в памяти. Она знала, что не понравилась Сюзанне. Еще в детстве Адель поняла, что ум следует скрывать. Бабушка предупреждала: «Умников не любят, Адель». Иногда она завидовала этим тупицам из электората Эда, с их банальным трепом и тривиальными заботами. Она потрогала кончик носа и подумала, не сделать ли операцию. Эд все время твердит, что ему нравится ее нос, и целует его во всю длину и ширину. Но она устала таскать нос перед собой, словно вымпел.

Едва оказавшись за дверями дома Номер Десять, Сюзанна включила мобильный телефон. Джек Шпрот, любуясь ногами Сюзанны, услышал, как та произнесла: «Она же просто корова».

Джек усмехнулся про себя – он знал точно, о какой именно корове речь.

---

* Шарлотта Рэмплинг (р. 1946) – выдающаяся британская актриса. Эдди Иззард (р. 1962) – популярный английский комик, любящий появляться на публике в женской одежде.

Глава вторая

Адель Флорэ-Клэр родилась в Париже, она была внебрачной дочерью матери-англичанки с Фоли-Бержер и отца-француза, бухгалтера. Ее воспитала в Хокстоне бабушка, которая вставала в четыре утра и работала уборщицей, чтобы Адель могла посещать частную школу, где, как надеялась бабушка, другие ученицы не станут дразнить Адель из-за носа. Бабушка ошиблась: в школе ее внучку прозвали Le Nez*. Адель написала четыре книги по популярной философии. Первую она опубликовала в девятнадцать, и та сразу же стала международным бестселлером. Провокационное название книги «Бог – лесбиянка» обеспечило массовую поддержку прессы, радио и телевидения. Адель часто спрашивали, не лесбиянка ли она сама. Она всегда отвечала двусмысленно, дразня собеседника, – дабы ее имя и фотография регулярно появлялись не только на страницах книжных обзоров, но и в разделах сплетен и новостей.

В двадцать один Адель уже читала лекции в Сорбонне и опубликовала еще две книги: «Жены философов» и «Виттгенштейн: идиот за идеалом».

---

* Нос (*франц.*).

У нее имелись квартирка в лондонском районе Сент-Мартин-лейн и постоянный номер в парижском отеле «Риволи». Она была счастлива: молодая, здоровая, элегантная, умная, преуспевающая, уважаемая и знаменитая. Увы, Адель страдала галлюцинациями, с ней беседовали разные голоса, употреблявшие вульгарную и неприличную лексику. Она обращалась к психиатрам в Лондоне и Париже, но легче не стало. Психотропные средства не помогали, и голоса все так же бормотали на двух языках, обвиняя ее в разных гнусностях. Однажды, когда Адель давала интервью Мелвину Брэггу* в программе «Шоу Южного берега», голоса обвинили ее в исчезновении скаковой лошади по кличке Шергар. Адель громко ответила: «Что за вздор!» – переполошив Мелвина, который как раз спросил, не влиял ли Платон умышленно на Александра Македонского, чтобы тот расширил греческую империю. Ее сердитый выкрик не вырезали из записи, потому что сочли эффектным.

Адель Флорэ встретила Эдварда Клэра, когда того только-только избрали в парламент от округа Фликуик-Ист. Они познакомились на приеме в честь Гора Видала** и пережили подлинный катаклизм. Через несколько минут интенсивной болтовни – о гонке вооружений среди государств Персидского залива – оба поняли, что без ума друг от друга. Эдвард глаз не мог отвести от ее дивного носа.

---

* Мелвин Брэгг (р. 1939) – современный британский писатель, продюсер и ведущий интеллектуальных телепрограмм.

** Гор Видал (р. 1925) – американский писатель, известный своими неортодоксальными взглядами. Автор многих исторических и биографических романов.

Когда к ним подвели для беседы самого Гора, их вовсе не тронули его медлительные откровения о некой богине экрана, о главе ЦРУ и какой-то афганской борзой.

Эдвард выразил озабоченность по поводу собаки, потом они извинились и вскоре укатили в черном такси.

Едва такси свернуло за угол, они бросились друг другу в объятия. Эдвард крикнул шоферу, чтобы катался по городу, пока не велят остановиться. Столь романтический жест совершенно не растрогал водителя, он сообщил, что направляется домой в Голдерс-Грин, где его ждет обед. И Эдвард сказал:

– Ладно, везите в Голдерс-Грин.

Им здорово повезло: с пешеходного моста на Эджвер-роуд бросился молодой человек и упал прямо под колеса их такси.

Адель поразило, как ловко Эдвард справился с ситуацией – вывел из истерики водителя, снял пиджак и накрыл голову мертвеца.

Эдвард хотел, чтобы вечер не кончался. Адель оказалась волшебной женщиной – какой *стиль*, какое *самообладание*! Через несколько мгновений после того, как перед их ветровым стеклом упал человек, она под скрип тормозов заметила: «Ахиллес с Эджвер-роуд». Несчастный случай сократил им путь, который мог бы занять месяцы, если бы все пошло своим чередом.

Они были знакомы менее двух часов, а Эдвард уже признался Адель в своих политических амбициях. Собственно, до встречи с Адель он и сам не понимал, каковы они, эти амбиции. Но в ее объятиях он ощутил себя Суперменом и готов был спасать мир как Супермен – если ему позволят.

Когда полиция взяла показания, а кровь с дороги смыли, они поехали в квартирку Эдварда на первом этаже в Вестминстере. Пока он готовил в кухоньке горький кофе, Адель изучала книжные полки, занимавшие всю стену от пола до потолка.

Эдвард принес чашки и блюдца в гостиную и увидел, как Адель брызгает между грудей дезодорантом «Ив Сен-Лоран». Она нимало не смутилась, застегнула блузку из кремового шелка и сообщила:

– Я вся как-то невероятно возбуждена. Не пойму, то ли это из-за столкновения с насильственной смертью, то ли из-за тебя.

Она заметила гитару в углу и спросила, играет ли он. Вместо ответа Эдвард просто взял инструмент и сыграл первые аккорды «Коричневого сахара»*. Адель рефлекторно вскочила на ноги и засеменила по комнатке по-джаггеровски, подняв одну руку в воздух. Они набросились друг на друга. Эйфория была так сильна, что Адель рискнула рассказать ему о голосах в голове. Эдвард порекомендовал ей своего приятеля в Кембридже, первоклассного психиатра. И заверил, что, когда лейбористы возьмут власть, услуги психиатров станут их важнейшим приоритетом.

Оба нашли свою вторую половину. Адель собралась замуж за будущего премьер-министра.

Где-то через месяц они побывали в суде и узнали, что молодого самоубийцу звали Мохаммед Карзай, а покончил он с собой из-за того, что его отличных оценок оказалось недостаточно, чтобы поступить в Шеффилдский университет и изучать фармацевтику, как мечтали его родители.

---

* Песня группы «Роллинг стоунз», впервые была исполнена в 1971 г.

Выходя под руку с Эдвардом из суда, Адель заметила:

– Какая ужасная ирония судьбы: бедный тупица Мохаммед свалился на голову двум главным умникам Великобритании.

Констебль полиции Джек Шпрот часто задавал себе вопрос: как его вообще взяли в полицию? Если и существовала жесткая процедура контроля, Джек каким-то образом через нее просочился и оказался на лучшей, по его мнению, полицейской работе – на посту у двери дома Номер Десять по Даунинг-стрит.

Джек был белой вороной в своем многолюдном семействе. Ни один ее член ни разу не купил видеомагнитофона в магазине. Когда в тринадцать лет Джек объявил, что намерен сдать восемь экзаменов за среднюю школу, и потребовал «местечко потише для повторения материалов», семейство было заинтриговано. Ни брат, ни сестра не проявляли к экзаменам никакого интереса. Оба бросили школу при первой же законной возможности.

Тревор, его последний отчим, сделал средней руки уголовную карьеру. Кастрюль у них в доме теперь имелся целый набор. Тревор навел среди приятелей-преступников справки, нельзя ли где раздобыть письменный стол, но через несколько недель бесплодного ожидания щедро выписал по каталогу «Литтлвудс» уголок школьника, со столом и книжными полками. Уголок доставили через три недели, он состоял из семнадцати деталей, с ключом-шестигранником и 75 шурупами, деревянными шпонками и тюбиком клея, который был прикреплен к одному из ящиков стола клейкой лентой. Джек наблюдал, как отчим, матерясь, возится со сборкой стола, и сердце у него трепыхалось от радости. Он не в силах был дождаться, когда сможет расставить на полках книги и разложить на столе школьные тетради.

В комнате, которую Джек делил со своим вороватым братом Стюартом, места для стола не было, поэтому, с учетом его амбиций, в маленькой гостиной произвели перестановку. Из угла перетащили телевизор, для чего потребовалось протянуть удлинитель, нарастить антенный кабель и перепланировать трехкомнатную квартиру – то есть перенести собачью корзину на кухню, под стол, где она всем мешала семь лет, пока пес не помер.

На деньги, заработанные разноской газет, Джек купил в «Бутсе»* настольную лампу и каждый вечер сидел в круге желтого света под аккомпанемент «Улицы Коронации» и других телесериалов.

Иногда, в рекламную паузу, мать поворачивала голову, смотрела, как Джек горбится над столом, и бормотала Тревору:

– Нездорово для пацана в этом возрасте дома сидеть.

Иной раз, когда Джек был весь день в школе, Норма тайком брала какую-нибудь тетрадь, открывала и читала страницу-другую, шевеля губами. «Кровь на руках леди Макбет – символ ее вины в убийстве...» Она закрывала тетрадь с чувством гордости, слегка омраченной мыслью: где же она допу-

* Сеть британских аптек, торгующих также канцелярией и сопутствующими товарами.

стила ошибку? Ее другие дети вроде бы всем довольны, почему же Джека так заботят кровь и убийства?

Однажды за воскресным обедом, сидя за кухонным столом и водрузив ноги на спину пса, Джек попытался объяснить семье, что экзамены помогут ему выбиться в другой мир и получить хорошую работу.

– Какую, например? – спросил отчим, взрезая йоркширский пудинг.

Джек помялся. Пес под ногами заерзал. Джек насадил на вилку пару горошин и поднес ко рту.

– Хочу стать полицейским, – промямлил он и проглотил горошины.

Наступила пауза, за которой последовал взрыв хохота. Сестра Ивонна фыркнула, чуть не подавившись куском баранины в мятном соусе.

А брат Стюарт заорал:

– Во прикол!

Стюарт недавно как раз отсидел пять месяцев в колонии для несовершеннолетних – охранники склада поймали его с сумкой, набитой шампунем «Хед-энд-Шолдерс».

В большой семье Джека воровали все. Это был семейный бизнес. Почти вся утварь в доме и большая часть одежды были либо украдены, либо незаконно куплены по фальшивым чекам. Ботинки Джека, которые лизал пес, своровал любящий дядюшка – из припаркованного грузовика.

Даже первая одежда Джека – приданое из распашонки, пеленок, подгузников, манишки и платка – была трофеем смелой вылазки тети Мэрилин в магазин «Мать и дитя».

По вечерам Джек большей частью сидел за столом и делал уроки. Иногда, когда смех публики за кадром переходил в истерику, он поворачивался и смотрел на экран. Матери нравились эти краткие мгновения, и она пыталась убедить его отложить ручку и перебраться к ней на диван – даже отодвигала пепельницу и гостеприимно хлопала ладонью по дивану, – но Джек знал: если забросить уроки, он навек пропадет и станет невидимым и бессмысленным, как большинство знакомых ему людей.

По пятницам вечером в дом приходила мрачная женщина по имени Джоан и укладывала волосы матери под серую сетку, которую та носила с ранней юности. Норма будто не замечала, что ее лицо совершенно изменилось и синие тени и бледно-розовая помада мало идут женщине, у которой давным-давно эстрогенные добавки вместо матки. А ее одежда? Чистый кошмар!

Джек решил стать полицейским отчасти и из-за материнской манеры одеваться. Он помнил все ежегодные родительские собрания в средней школе, в которую ходил без прогулов каждый день. Он пытался помешать матери прийти – убеждал, что ей надоест ждать своей очереди побеседовать с его скучными учителями, но она настаивала:

– Пускай мне хоть для разнообразия скажут что-нибудь хорошее о моих детях.

Старшие Шпроты опозорили свою фамилию, а Ивонна Шпрот как-то даже подожгла подсобку в кабинете домоводства, потому что забыла на полке зажженную сигарету.

Стоя на лестничной клетке, Джек с волнением следил, как Норма колыхается перед набитым гардеробом. Вот она сняла с проволочных плечиков жакет из искусственного леопарда, и у него сперло дыхание, но он снова смог дышать, когда она кинула жакет на кровать со словами:

– Теперь и не застегнешь, так титьки повырастали.

В итоге, после многих примерок, раздумий и консультаций с его сестрой, мать остановила выбор на белом кримпленовом приталенном жакете и короткой юбочке в тон – сбылись худшие опасения Джека.

Они вышли из дома вместе, однако Джек быстро ее обогнал. Поначалу мать кричала, чтобы он подождал, но Джек не мог заставить себя идти рядом с ней. Он стыдился ее варикозных ног на белых шпильках и шуршания белого кримплена.

Он сгорал от стыда, когда они вошли в школу и их приветствовал директор:

– Вы ведь миссис Шпрот, да? Какой у вас отличный парень, мы все на Джека рассчитываем.

Джек заметил веселую искру в глазах директора, пока этот надутый гад разглядывал его мать. Длинные серьги в виде фламинго, комки туши на щетинистых ресницах, оранжевые румяна на скулах, усталые груди, обвисшие под цветастой блузкой. Когда они вошли в актовый зал, где учителя сидели за столами, к которым тянулись очереди из родителей, Джек был уверен, что все в зале повернули головы и уставились на его мать, потешаясь над ней. Джеку хотелось, чтобы его уважали и чтобы ее тоже уважали.

Услышав, как толстяк, ждавший в очереди, сказал стоящей рядом женщине: «Боже, вы только взгляните!» – Джек ощутил прилив гнева и положил руку на белое кримпленовое плечо матери. А почему бы ей и не надеть серьги с фламинго – ведь красивая птичка!

Глава третья

На дорогу, которая обычно занимала два с половиной часа, Джек потратил пять часов. Фургон с прицепом, везший картофель из Венгрии в район Милтон-Кейнз, на развилке сложился пополам, картошка рассыпалась, и образовалась пробка сразу на двух магистралях – на M1, ведущей на север, и M25, идущей с востока на запад.

Джек позвонил матери из машины, но та не отвечала. Она очень нервничала из-за телефонных звонков – с тех пор, как всевозможные торговые представители стали названивать ей день и ночь, умоляя приобретать электричество у газовой компании и платить за телефон через сеть водоснабжения. Мать решила, что над ней издеваются.

Когда Джек подъехал к родительскому дому, было без одной минуты полночь, но все окна оказались залиты светом. Мать пользовалась стоваттными лампочками – не удивительно, что у нее вечная задолженность перед электросетью, подумал Джек. Норма еще не легла, дожидалась его. Шагая по дорожке, Джек видел через тонкие занавески ее силуэт: она сидела на диване и смотрела «Ночной конкурс». Мать смотрела все без разбора. Весь экран заполняла большая голова Тома Полина*.

Джек постучал в дверь и крикнул в щель для почты. Через несколько секунд он услышал, как мать сказала Питеру, своему престарелому волнистому попугайчику:

– А вот и Джек к нам, Пит.

Дверь отворилась, и Джек поначалу не узнал мать. Он ни разу в жизни не видел ее без макияжа. Норма ухитрялась краситься даже в больнице, когда ее избили (один глаз был нарядный, с голубыми тенями, а другой заплыл). Из больницы мать выписалась неделю назад, но выглядела ужасно: надеть вставные зубы она не позаботилась, а волосы, потерявшие блеск и пышность, старыми версвками печально свисали вдоль запавших щек. Это была не его мать, а скелет его матери. Она походила на страницу, вырванную из «Анатомии» Грэя. Молодой человек, напавший на Норму, вместе с сумочкой и кошельком прихватил ее плоть и кровь.

– Привет, мама. Хорошо выглядишь, – вырвалось у Джека автоматически. Норма придавала очень большое значение внешности.

– Я оставила тебе ужин, – ответила она и повела его через узкую гостиную в кухню.

В семье Шпротов поцелуи и прочие нежности были не в ходу.

Попугайчик Питер безутешно топтался на полу клетки, по щиколотку в шелухе от семян и собственном помете. Его голубые перышки были тусклыми и потрепанными.

---

* Том Полин (р. 1949) – современный англо-ирландский поэт.

Джек сунул палец между прутьев.

– Держи хвост пистолетом, Пит, мамуля идет на поправку, только надо прическу сделать. – Пит частенько становился для Джека каналом общения с матерью.

– Слишком уж я боюсь идти в парикмахерскую, Пит, – сказала Норма.

Пит запрыгнул на перекладину и угрюмо уставился в маленькое зеркальце, которое болталось перед ним.

– Выпендривается он последнее время. – Мать открыла духовку и вынула тарелку, накрытую другой. Потом сняла верхнюю тарелку, явив блюдо, от которого шел пар. – Твое любимое.

Джек взглянул на синеватые обрезки бараньей грудинки, сморщенный горошек и картофельное пюре, прилипшее к тарелке, и сказал попугаю:

– Найти бы того мерзавца, который обидел нашу маму, на месте убил бы.

Он заставил себя съесть почти весь отвратительный ужин. Он знал, что мать ненавидит стряпать и никогда не умела готовить. Джек простил ей забывчивость: он уже больше тридцати лет вегетарианец, а жирную баранину обожал его покойный брат Стюарт.

Норма сидела и смотрела, как Джек ест. Она заметила морщинки вокруг его глаз и две глубокие борозды, которые пролегли от носа к уголкам рта.

Перед сном, в качестве прелюдии, Норма накрыла клетку Питера отрезом ткани из полиэстера с узором в виде подсолнухов. Питер продолжал бродить по темной клетке. Джек строго приказал невидимой птице:

– Угомонись!

Он выключил свет в кухне и, поднимаясь по лестнице в тесную комнатку, где предстояло ночевать, спросил себя, зачем прикрикнул на птицу.

На дешевой сосновой кровати с тощим матрасом спалось плохо, мозоль на ноге все цеплялась за нейлоновые простыни, которые мать предпочитала из-за того, что их не надо гладить.

Где-то в середине ночи Джек вытянул руку, чтобы проверить походный будильник, и сшиб с тумбочки фаянсового ослика. Он услышал, как ослик раскололся, ударившись о голый пол.

Когда Джек проснулся в следующий раз, было уже утро; он полежал, разглядывая миниатюрных осликов вокруг. Животные были на любой вкус: расписанные цветочками и вполне реалистичные – с корзинками, запряженные в тележки. На каких-то осликах красовались шляпы, два уродца были даже обряжены в пончо. Один ослик нес плакатик «Подарок из магазина “Лавандовые Поля” в Норфолке», а из отверстия в его спине торчало несколько сухих стебельков.

Покупать матери подарки на Рождество и дни рождения было просто: в магазинах всегда отыщется очередной осел по доступной ребенку цене.

Джек встал и быстро влез в костюм из «Маркс и Спенсер», в котором в последнее время ему было как-то не по себе.

Он все не мог перебороть ощущение, что он самозванец – просто притворяется таким, как все.

Прежде чем выйти из комнаты, Джек подобрал осколки и увидел, что это тот самый ослик, которого Стюарт сделал в керамической мастерской в колонии для несовершеннолетних преступников, куда попал за хранение марихуаны. Джек сложил осколки в носовой платок и спустился на кухню за клеем. Придется склеить: тюремный ослик – единственный подарок Стюарта, и мать часто повторяла, что если бы случился пожар, она бы в первую очередь спасла Питера и ослика Стюарта.

Ожидая, пока закипит чайник в виде небоскреба, Джек очистил кухонную раковину ржавой щеткой. Заваривая чай, он слышал, как Питер шаркает по затемненной клетке. Когда чай был готов, Джек отнес чашку в гостиную, окна которой выходили на улицу. В доме напротив, куда его когда-то посылали за кастрюлей, все окна были заколочены, а в палисаднике гнил разбитый автофургон. Мимо шли школьники, пихая друг друга и радостно выкрикивая непристойности. Дети горбились под тяжестью огромных ранцев и походили на солдат, бредущих по руинам сдавшегося города.

Наверху в туалете зашумел бачок, но ободряющего плеска воды о дно раковины не последовало – мать считала, что микробы полезны, и утверждала, что люди стали чаще болеть с тех пор, как завели моду ежедневно принимать ванну и душ. Она смеялась Джеку в лицо, когда он обнаруживал в ее холодильнике давно просроченные продукты и рассказывал жуткие истории о том, как в сыре копошатся черви.

Дети свернули за угол, и улица снова опустела. Проехало несколько автомобилей, но им не удалось развеять неестественную тишину.

Много лет назад, на этой самой улице, в день, когда он уехал из дома в Хэндонский полицейский колледж, Джек минут десять стоял на крыльце в ожидании такси, которое должно было отвезти его на станцию, и его поразило, сколько народу пришло пожелать ему доброго пути. В палисадниках тогда копошились малыши, а у бордюров чинили машины. В те дни, вспомнил Джек, старухи, кутаясь в пальто, обменивались у калиток новостями.

Когда мать вошла в комнату, Джек спросил, куда подевались люди.

– Теперь никто не выходит, – ответила она, встав рядом с ним у окна. – Я уже и к соседям-то не заглядываю и белье вывешивать на улице перестала. Один хулиган на прошлой неделе перелез через забор и украл кресло-качалку, ту, что ты купил.

– Я тебе надстрою забор повыше и куплю новую качалку, – сказал Джек.

– Не надо, бог с ней, с качалкой, – раздраженно отмахнулась Норма. – Все равно сопрут, да и солнце в Англии теперь уже не то.

Они прошли в кухню, и Норма ойкнула, обнаружив, что клетка Питера все еще закрыта синтетическим подсолнухом.

В доме не было продуктов, которые Джек мог бы заставить себя съесть. За чайной коробкой в углу посудной полки были свалены неоплаченные счета. Весь дом следовало прибрать, проветрить и сменить предметы первой необходимости; даже в кормушке Питера не осталось семян, а пустой пакетик «Трилл» лежал в серванте рядом с банками заплесневелого джема и прокисших солений. Джек надеялся вернуться в тот вечер в Лондон и нормально провести второй выходной – он планировал посетить галерею Тэйт*, своими глазами посмотреть на то, о чем все говорят, – но теперь понял, что придется остаться еще на одну ночь и решить проблемы матери. Он расчистил место на кухонном столе и принялся составлять список:

Позвонить слесарю.
Вычистить клетку.
*АСДА** – продукты.*
Найти уборщицу/пылесос.
Почта – забрать пенсию.
Банк – договориться о задолженности.
Найти Ивонну?

Потом вынул чековую книжку и выписал чек в уплату долгов.

– Ненавижу сидеть без денег, – сказала Норма. – Ну зачем Трев умер?

– Не надо было в потемках по церковной крыше лазить, – ответил Джек.

О смерти отчима Джек узнал с тайным облегчением. Одним преступником в семье меньше. Кроме того, судимости Тревора были для него постоянным источником неприятностей. Несколько раз на протяжении своей карьеры он подозревал, что живой Тревор мешает продвижению по службе.

Норма погрузилась в воспоминания о похоронах Тревора:

– Ни разу не видала, чтобы в церкви столько народу собралось, а на кладбище прямо сотни пришли. Людей прижимали к надгробиям, помнишь, Джек? А викарий о Треве так хорошо говорил.

---

* Национальная художественная галерея Тэйт.
** Сеть магазинов потребительских товаров.

Джеку запомнилось, как он сидел в церкви буквально в метре от роскошного гроба и гадал, как стажер-викарий справится с печально известной уголовной славой Тревора и странными обстоятельствами его гибели. Но этот осел в ошейнике провозгласил Тревора «ярким характером», восславил его паханскую деятельность и назвал Тревора «первопроходцем, который взялся за утилизацию мусора задолго до того, как это стало нормой».

Норма продолжала:

– Теперь вот жалею, что Трева не кремировали. Не нравится мне, что он там в земле, один совсем.

– Ты мне так и не сказала, мам, сколько Трев тебе оставил, – сменил тему Джек.

Норма принялась рыться в карманах пальто и курток, которые грудой висели на единственном крючке за кухонной дверью. Джек знал, что она ищет сигареты. Казалось, все его детство прошло в чаду сигаретного дыма.

Наконец она вытащила смятый бычок «Ламберт и Батлер», который сначала триумфально подняла вверх, а уж потом воткнула в губы. Джек напряженно ждал, пока она открывала ящики и шарила в сумках. Коробок спичек нашелся в ящике под грязной мойкой.

Норма села и пустила дым поверх стола.

– Не люблю я о деньгах говорить, – упрямо пробормотала она.

– Надо, мама, – возразил Джек. – Ты у Ивонны деньги забрала?

Норма мотнула головой.

Джек не советовал матери инвестировать в финансовую пирамиду его сестры Ивонны «Женщины, быстрее богатейте», которую та основала под девизом защиты прав женщин. Но мать все-таки вложила три тысячи фунтов, загипнотизированная россказнями Ивонны о том, как простые женщины уходят с ее собраний, унося за раз по двадцать четыре тысячи наличными.

Теперь Ивонна и мать друг с другом не разговаривают. Вообще-то они ни разу не виделись с тех пор, как Ивонна защитила свои права и исчезла, бросив озадаченного мужа, с которым прожила двадцать лет. Ее не сумел найти даже компьютер Главного управления полиции. Джеку здорово не хватало Ивонны. Прежде сестра заботилась о матери, а теперь, похоже, все заботы легли на его плечи.

Джек занялся делами. Он отвез мать в супермаркет «АСДА». На щите объявлений оставил записку: «Требуется уборщица. Три часа в неделю».

Пока они выгружали из машины замороженные полуфабрикаты, в гостиной зазвонил телефон. Джек снял трубку, и молодой мужской голос произнес:

– Я звоню насчет вакансии уборщицы.

Джек с сомнением слушал.

– Я хорошо прибираю, – продолжал молодой человек. – Раньше в больнице работал.

– А теперь почему не работаете? – с подозрением спросил Джек.

– А теперь я студент. Приходится подрабатывать, чтобы платить за учебники.

Джек попросил молодого человека, Джеймса Гамильтона, прийти часов в пять.

Морган Клэр писал эссе о толпуддлских мучениках. Почерк у него был разборчивый и четкий: *«Толпуддлские мученики – это шесть сельскохозяйственных рабочих, образовавшие "Общество друзей" в 1833 году, когда хозяин урезал им зарплату с девяти до шести шиллингов в неделю»*.

С чувством неловкости Морган сознавал, что его сестра Эстель манкирует уроками, и позже наверняка выйдет скандал, когда мама с папой поднимутся к ним на полчаса – пообщаться как следует.

– Эстель, ты бы хоть вид сделала, что уроками занимаешься, ну хоть начни! – сказал Морган.

– А мне плевать, что будет, когда вырасту, – отозвалась Эстель. – Хочу быть необразованной.

Морган засмеялся.

– А ты уже образованная. Не можешь же ты всему разучиться.

– Тогда не буду экзамены сдавать, – сказала Эстель.

Морган продолжал писать:

«На мой взгляд, эти люди, Джеймс Брайн, Томас Стэнфилд, Джон Стэнфилд, Джеймс Хэмметт, Джордж Лавлесс и Джеймс Лавлесс, явились пионерами рабочего движения и не заслуживали столь жестокого и бессердечного отношения».

Он положил ручку.

– Ну и какие у тебя цели в жизни?

– Целей куча, – ответила Эстель. – Я хочу быть жутко красивой, и чтобы шкаф был набит дорогим шмотьем, и я хочу выйти замуж за симпатичного мужчину, который будет меня смешить, и еще хочу завести ребенка.

Служба МИ-5 слушала, как премьер-министр с женой занимаются любовью. В передней спинке bateau lit* был спрятан крошечный микрофон, не больше ноготка новорожденного младенца.

– Пыхтят, будто уже на полпути в Сноудон**, – заметил агент Роберт Палмер.

– Лучше бы уж ехали на свой хренов саммит, – буркнул агент Алан Кларк.

– Стыдоба... Слава богу, хоть аудио только.

Изменившийся тон в страстных ласках премьер-министра подсказал агентам, что скоро тот кончит и потянется за туалетной бумагой.

Морган Клэр не ожидал застать родителей в постели в шесть вечера. Когда четыре месяца назад родилась Поппи, он был вынужден признать, что его родители все еще занимаются *этим*, несмотря на возраст. *Это* и без того жуткая пошлятина, но заниматься *этим* при свете дня – просто извращение или что-то типа того. Они что, животные? Конечно, не надо было входить без стука, но ведь так хотелось рассказать папе о толпуддлских мучениках.

– Папа, ты знаешь о толпуддлских мучениках?

Агент Кларк хихикнул:

– Вот вам и прерванный половой акт.

– Конечно, знаю.

– И что ты о них думаешь?

– По-моему, это были мужественные люди, но они заблуждались.

– Заблуждались? В чем? – В голосе Моргана звучало огорчение.

---

* Водяная кровать (*франц.*)

** Национальный парк на севере Уэльса.

– Ну, по-моему, они избавили бы и себя и свои семьи от массы неприятностей, если бы согласились вести с хозяином переговоры о повышении зарплаты, а не вышли на улицы подстрекать.

Краска залила лицо Моргана. Он всем сердцем любил толпуддлских мучеников, их жен и детей и готов был умереть за их правое дело.

– Папа, они же никого не подстрекали, наоборот, вызвались охранять здания от бунтарей и поджигателей. И потом, папа, они не требовали повысить зарплату, наоборот, им ее урезали с девяти до шести шиллингов в неделю.

Эдвард улыбнулся:

– Возможно, хороший компромисс помог бы сговориться на семи с половиной шиллингах.

– Но, папа, они ведь и на девять шиллингов не могли своих детей нормально...

– Они подписали противозаконный договор, Морган.

– Они образовали «Общество друзей», папа. И только! И были правы на все сто!

– Не бывает только черного и белого, Морган! Они стали врагами государства.

– Нет, НЕ СТАЛИ! Это были славные ребята, и они восстали против жестокой и, значит, несправедливой системы, а их за это сослали в Австралию на семь лет! На чьей ты стороне, папа?

Адель вопросила приглушенно из-под одеяла:

– Что значит «на чьей-то стороне»?

Морган заорал:

– Сама знаешь, какого хрена это значит!

Адель выскочила из-под одеяла и заорала:

– Забудь о кроссовках «Найк»! И еще – неделю без прогулок! А теперь вон, мне нужно встать, а я раздета.

Морган спросил:

– Папа, у тебя есть дело, за которое ты готов умереть?

Премьер-министр ответил:

– Только не сейчас, сынок.

Агенты услышали, как хлопнула дверь.

Потом Адель сказала:

– У тебя ведь сегодня прямой эфир? После душа не жалей дезодоранта. Ты жутко потеешь под софитами, Эд.

Ближе к пяти Норма поднялась на второй этаж. Когда она снова спустилась, Джек увидел, что мать надела одно из своих длинных летних платьев, заколола волосы и накрасила губы.

Джеймс Гамильтон обезоружил их обоих своим удивительным рвением в домашней работе. Джек провел его по домику, извинился за его состояние и объяснил, что мать недавно избили и она запустила хозяйство. Только одно было не совсем правдой: Норма никогда не отличалась хозяйственностью. Но в ответ на каждое его оправдание Джеймс просто улыбался и говорил:

– Нет проблем.

Джеймсу понравился Питер.

– У моего отца дома в саду раньше были попугайчики, – сказал он.

– В клетке? – спросил Джек.

– Нет, дикие. Он на Тринидаде жил.

– А я думал, волнистые попугайчики есть только в Австралии, – удивился Джек.

– Не-а, на Тринидаде их навалом, – ответил Джеймс.

– А ваша мать с Тринидада? – спросила Норма.

– Нет, маманя была отсюдова, только померла. Когда приступать?

Даже не посоветовавшись с Джеком, Норма распорядилась:

– Можешь начать сейчас, почисти клетку.

Джеймс, однако, посмотрел на Джека:

– Скажем, семь фунтов в час?

Джек ответил:

– Нет, скажем, шесть.

В половине восьмого Джеймс покинул дом с двенадцатью фунтами в кармане. За два часа он преобразил кухню и даже вычистил и отполировал зеркальце в клетке Питера. Он обещал вернуться на следующее утро в десять, перед занятиями.

Когда Джеймс ушел, Джек засунул в сверкающую духовку две порции картофельной запеканки с мясом.

– Какой симпатичный паренек, – сказала Норма. – Джек, а тебе по карману, чтобы он приходил два раза в неделю?

– По карману, конечно, а то как же, Пит? – отозвался Джек.

Они отнесли еду в гостиную, потому что по телевизору шла передача, которую оба хотели посмотреть. Сегодня начинался новый цикл программ «Лицом к прессе» – живой эфир перед аудиторией, полной звезд. Первым гостем согласился стать премьер-министр.

Джек хотел посмотреть передачу из-за своих все более тесных отношений с премьер-министром. Интерес Нормы целиком сводился к звездам. Она надеялась увидеть сэра Клиффа Ричарда* и выяснить по его лицу, не девственник ли он.

Джек устроился ужинать за своим старым письменным столом. Норма села на диване, пристроив тарелку на коленях.

Премьер-министр сидел в комнате ожидания и голодными глазами следил, как Донна Флак, продюсер «Лицом к прессе», снимает полиэтилен с овальной тарелки с бутербродами. Врожденные хорошие манеры не позволяли ему вскочить и наброситься на угощение.

Донна скатала пленку в комок и ловко швырнула через всю комнату в мусорную корзину с надписью «Би-би-си».

– Во как! – воскликнул премьер-министр. – Вам бы в крикет за Англию играть!

Его помощники и шишки с Би-би-си, сгрудившиеся в комнате, смеялись дольше, чем шутка того заслуживала.

– Я стояла в воротах в первой женской команде Кембриджа, – сообщила Донна.

– Вы и теперь первая, – улыбнулся премьер-министр.

Донна вручила ему тарелку с салфеткой и предложила блюдо. Эдвард взял два бутерброда с копченым лососем. Ему хотелось посидеть где-нибудь в уголке и спокойно пожевать, но вокруг собралась целая толпа.

* Клифф Ричард (р. 1940) считается самым популярным певцом Великобритании – более 60 раз попадал в первую десятку хитов.

Александр передал ему список вопросов и возможные варианты ответов.

– Причин для беспокойства нет, – добавил он.

Александр знал всех журналистов в зрительном зале, всех, кроме некой Мэри Мерфи. В справке говорилось, что она из «Нортантс войс». Двадцать пять лет, разведена, дочке три года, голосует за Социалистический альянс.

В студии, забитой звездами, в первом ряду сидела Ульрика Джонсон рядом со Стивеном Хокингом и Гэри Линекером*. Когда премьер-министр вышел в студию, раздались громкие аплодисменты. Он запрыгнул на высокий табурет, скрестил ноги, расплел их, наконец пристроил одну ногу на перекладине табурета, а другую оставил болтаться в воздухе.

После быстрой проверки микрофона, когда премьер-министр рассказал, что ел на завтрак – «яичница, апельсиновый сок, мюсли, тосты с отрубями и... гм...» – посыпались вопросы о введении евро.

– Я *очевидно* дал понять, что референдум состоится, когда...

Об Африке.

– *Очевидно*, перед Африкой стоят огромные проблемы...

И о Малкольме Блэке.

– Я думаю, всем *очевидно*, что Малкольм – прекрасный министр финансов...

---

* Ульрика Джонсон – популярная британская телеведущая шведского происхождения, известная своими скандальными мемуарами и романом с тренером сборной Англии по футболу. Стивен Хокинг (р. 1942) – выдающийся астрофизик, с детства прикованный к инвалидному креслу. Гэри Линекер (р. 1960) – звезда английского футбола 80-х годов, сейчас спортивный комментатор.

И все шло гладко, пока Мэри Мерфи не спросила, знает ли он, сколько стоит пинта молока.

Эдвард улыбнулся и сказал:

– Мы же европейцы, Мэри, вы, *очевидно*, имеете в виду литр.

Публика рассмеялась. А Мэри Мерфи – нет.

– Ну так сколько? – требовательно спросила она.

Премьер-министр снова улыбнулся и, чтобы выиграть время, уточнил:

– Пастеризованное или из-под коровки?

Звездная аудитория засмеялась, на сей раз более нервно. Мало кто из присутствовавших знал цены на молоко.

– Любое, – неумолимо потребовала Мэри Мерфи.

Грэм Нортон, сидевший между Адель и Беном Элтоном, крикнул:

– Да бросьте вы это молоко, сколько стоит бутылка «Боллинджера»?*

Когда смех утих, колумнист из «Индепендент» спросил:

– Господин премьер-министр, в прессе много разнотолков, и недавние опросы подтверждают, что вы оторвались от реальностей ежедневной жизни. Разве вы можете и дальше называться народным премьером?

Премьер-министр ответил через три долгие секунды. Он улыбнулся, помигал и сказал:

– Слушайте, пару дней назад я беседовал с простым парнем о его пожилой матери, которая стала жертвой ужасного уличного преступления.

---

* Дорогая марка шампанского.

Джек сказал Норме:

– Это он о тебе, мам.

– Что ты мелешь, – ответила она. – Я не пожилая.

«А я не простой», – подумал Джек.

В 10.15 на следующее утро Джек позвонил с шоссе в дом матери. Трубку снял Джеймс. В трубке слышался вой пылесоса. Джеймс бодро сообщил Джеку, что повезет Норму в город к парикмахеру.

– А как же колледж? – спросил Джек.

– У лектора бронхит, так что... – ответил Джеймс.

Джек услышал, как на заднем плане мать на кухне беседует с Питером, интересуясь у птицы, что ей надеть в город.

Глава четвертая

Прежде чем заступить на пост в два часа, Джек прошел в комнату персонала в доме Номер Десять и приготовил себе эспрессо. В комнате Венди и Су Ло, няня Поппи, беседовали о ноге Барри.

– Почему бы вам не попробовать китайскую медицину, Венди, – предложила Су Ло, – мне вот вылечили бородавки в промежности.

– Так то же бородавки, – вздохнула Венди, – а гангрена ноги – совсем другое дело.

Моя кружку, Джек слушал, как Венди рассказывает, что в два часа ночи вызывали доктора к Адель, у которой был острый приступ звона в ушах.

– Шум в голове? – спросила Су Ло.

– Что-то в этом роде, – зло ответила Венди.

Джек надел шлем и застегнул ремешок под подбородком. Стоял теплый апрельский день – шинель вряд ли понадобится.

Шагая по коридорам к входной двери, он ощущал в воздухе напряжение и возбуждение, как всегда в этот час – перед «Вопросами к премьер-министру»*.

---

* Каждую среду в 15.00 премьер-министр в течение получаса отвечает на вопросы палаты общин.

Прежде чем сесть в автомобиль, премьер-министр задержался на крыльце и спросил Джека:

– Как ваша мать?

Джек удовольствовался кратким:

– В порядке, сэр, благодарю за заботу.

– Прекрасно, – ответил премьер-министр. Потом спросил: – Джек, а по-вашему, что больше всего заботит народ в нашей стране?

– Преступность, сэр, – ответил Джек. – На улицах нужно больше полицейских.

«Вопросы к премьер-министру» начались неудачно, потому что премьер-министр неправильно прочел тезисы и в ответ на запрос о проблеме запасов трески по ошибке заявил, что в Северном море осталось только восемьдесят девять рыб.

Издевательский смех утих не сразу, и премьер-министр пришел в себя настолько, что сумел поправиться и сообщить почтенной аудитории, что, хотя запасы истощены, рыбы все еще остается 89 100 тонн и она преспокойно плавает себе в британских водах.

Лидер оппозиции, Тим Патрик Джонс, встал и с презрением высказался:

– Известно ли мистеру премьер-министру, что вчера утром железнодорожная сеть на юго-востоке страны была полностью парализована и что буквально миллионы – *миллионы!* – многострадальных пассажиров не попали на работу – нет, не опоздали, а именно *не попали*!

Накануне вечером Эдвард смотрел новости по телевидению и был шокирован сценами анархии на станции Ватерлоо, где взбешенные пассажиры ломали кассы-автоматы и приступом брали магазины, бесстыдно похищая газеты и кондитерские изделия.

Премьер-министр встал под шквальные крики «Позор! Позор!». Он взглянул на свои записи, потом поднял с вызовом голову и увидел, что министр финансов Малкольм Блэк сдвинул свое огромное тело чуть влево, из-за чего другие на передней скамье еще теснее скучились.

Вставая, Эдвард услышал, как Малкольм со своим чудным шотландским акцентом буркнул: «Руби, Эдди». На миг Эдвард подумал, не подходит ли к концу его пятнадцатилетняя политическая дружба с Малкольмом.

Он не мог сосредоточиться и потому объяснял хаос на железной дороге многословно и сбивчиво. По лбу тек пот. Он услышал, как Малкольм Блэк за его спиной издал тихий, но долгий вздох.

Тим Патрик Джонс уколол:

– Не сообщит ли нам премьер-министр, когда он в последний раз ездил на поезде?

Эдвард мгновенно выдал ответ, о котором тут же пожалел и который изменил его жизнь навсегда:

– Я рад сообщить достопочтенному джентльмену, что в последний раз ехал в поезде три дня назад с женой и тремя детьми.

Лейбористы-заднескамеечники взревели от удовольствия. Эдварду захотелось схватить свои слова и запихать обратно в рот, но предательский ответ уже записали в стенограмму и занесли в блокноты сатирики и зубоскалы на галерке прессы.

Фразе «В последний раз я ехал в поезде три дня назад с женой и тремя детьми» суждено было стать не менее печально известной, чем «В моей руке бумага» Невилла Чемберлена*.

Тем временем в доме на две семьи в пригороде Ковентри энтузиаст-фотолюбитель Дерек Фишер, слушая «Вопросы к премьер-министру» по Радио-5 в прямом эфире, как раз отсылал по электронной почте фотографии премьер-министра с семьей в газету «Дейли мейл». Бильд-редактор вмиг отправил смс-сообщение репортеру газеты на галерку прессы, пока премьер-министр отвечал на вопрос о британском гражданине, которого признали виновным в пивоварении в Саудовской Аравии и приговорили к смертной казни через побивание камнями.

Лидер оппозиции, еще не успевший сесть, получил записку: «Спросите премьер-министра, вовремя ли отправился и прибыл поезд, которым он ехал в воскресенье, и каков был маршрут».

Лидер оппозиции решил пропустить очередной плановый вопрос о недавнем фиаско диспетчерских служб воздушных сообщений и спросил о поезде.

Премьер-министр медленно ответил:

– Весьма рад сообщить достопочтенному джентльмену, что поезд отправился и прибыл вовремя.

– Полагаю, маршрут был кольцевой, – сказал Тим Патрик Джонс.

В галерее прессы цинично пустили распечатанное фото по рукам. Никто не помнил, чтобы когда-нибудь еще так громко хохотали, как при виде пре-

* Печально известное высказывание премьер-министра Великобритании Чемберлена (1869–1940), сделанное им на трапе самолета после переговоров с Гитлером в 1938 г.: «В моей руке бумага, которая гарантирует мир нашему поколению».

мьер-министра в бейсбольной кепке и джинсовой куртке, который, задрав колени до ушей, сидел на игрушечном поезде «Чу-чу».

Адель и Поппи, обе тоже в бейсбольных кепках, сидели позади Эдварда в первом вагончике, а старшие дети Клэров с надутым видом ехали в вагончике караульной службы в хвосте поезда, который чухчухал по кольцу. Нос Адель соперничал с козырьком кепки, так что парламентский художник заметил:

– Боже, вот это шнобель! Чистый авианосец: самолет сядет, и еще останется место для пяти!

Весть о снимке с галерки прессы уже донеслась до скамей оппозиции.

Смех стал истерическим, пока восторженные политики анализировали картинку.

Тем временем Тим Патрик Джонс требовал от премьер-министра назвать поезд. Назвать поезд!

Премьер-министр отказался отвечать «из соображений безопасности».

Консерваторы-заднескамеечники взорвались, и спикер палаты тщетно старался быть услышанным за всеми этими издевательскими «чу-чу» и «ту-ту», захлестнувшими палату, а депутат с Юго-Востока, у которого партийной эмблемой был поезд «Ройал Скот», покидающий станцию Уэверли, чуть не умер от радости, решив, что наконец-то его оценили по заслугам.

Когда Эдвард сел, на скамьи за его спиной опустилась жуткая тишина. Малкольм Блэк участливо прошептал:

– Не волнуйся, Эд, переживешь.

Выходя из палаты, Эдвард услышал, как кто-то пропел: «Поезд шел под откос и дымил...»

Глава пятая

Адель раздраженно отняла у Поппи свой разбухший сосок и сунула ей другой.

– Ради всего святого, поторопись, – обратилась она к младенцу. – Мне же совещание проводить, черт возьми!

Поппи взглянула на мать, на ее недовольное лицо и продолжила неторопливо цедить молоко из груди с голубыми прожилками. Адель ненавидела всю эту неопрятную и неудобную процедуру, но она шефствовала над общественной кампанией «Грудь», которую поддерживали Министерство здравоохранения и многие модные педиатры. Поэтому она не имела права сдаваться, приходилось просто ждать, когда вернут груди в ее личное пользование и не надо будет делиться ими с хрюкающим от жадности младенцем. Боже, ну что за варварство!

Зато посмотрите, какой переполох она учинила в рядах мощного лобби за искусственное кормление, с их главной оппозиционной организацией «Грудничкам – бутылочку», или, сокращенно, ГБ. В ответ гэбэшники коварно атаковали ее с тылу, обвинив в фаворитизме, а к ним присоединилась целая толпа – недавно родившие жены и подруги автогонщиков. Все эти гады сбились в группу под названием «С бутылочкой – в чемпионы». Команда «Феррари» пригрозила выйти из гонок «Силверстоун»*, а в палате общин уже задавали вопросы, что это там творится.

Адель включила радио и услышала сбивчивый голос мужа, с запинками объяснявшего что-то насчет поезда, а потом его голос потонул в невероятном шуме. Две с лишним сотни мужских голосов кричали: «Чу-чу! Чу-чу!»

Внизу, в малой приемной, где стены были увешаны значительными произведениями новейшего британского искусства, Адель ожидали три властные и пугающие женщины. Они надеялись заручиться поддержкой в издании благотворительной антологии «Ропот», которая должна была помочь непопулярной пока акции «Синдром кишечного недержания». Они уже заполучили рассказ от Мартина Эмиса и рецепт с высоким содержанием клетчатки от Джейми Оливера**.

Леди Лиэнн Бейкер воспользовалась паузой, вызванной кормлением ребенка, и послала смс-сообщение сыну-подростку, напомнив, что ему следует вынуть футболку из стиральной машины и повесить на сушилку. Напротив нее, через стол, увлеченно сплетничали Розмари Умбаго, слепая редакторша «Дейли войс», и баронесса Холлиоукс, всклокоченный мозг либеральных демократов, – еще час назад

* Английский этап гонок «Формула-1».

** Мартин Эмис (р. 1949) – современный английский писатель. Джейми Оливер – повар и ведущий кулинарных телепрограмм.

она выглядела аккуратно и почти презентабельно, но сейчас ее волосы стояли дыбом, а одежда, похоже, принадлежала женщине совсем другого размера.

Баронесса Холлиоукс, чьи груди никогда не утешили ни мужчину, ни женщину, ни дитя, закончила рассказывать не совсем приличную историю о Рое Хэттерсли* и заметила:

– По-моему, вы великолепно справляетесь с расстройством зрения, Розмари.

Розмари рявкнула в ответ:

– Пожалуйста, называйте это просто слепотой. Терпеть не могу всех этих политкорректных лицемерных словечек. Я слепая, черт возьми. С рождения. Я не из этих ранимых *новых слепых*, кто постоянно скулит о своем милом утраченном зрении.

Сообразив, что Розмари не любит политически корректный жаргон, баронесса Холлиоукс светским тоном спросила:

– Так вы, Розмари, вроде как второй раз замужем, за южноафриканцем. Он что, черножопый?

Когда машина премьер-министра вернулась из палаты общин, Джек с удивлением заметил, что премьер-министр выглядит больным, а от его вечной улыбки, ставшей почти такой же частью лица, как нос или рот, не осталось и следа.

По распоряжению Александра Макферсона перед домом Номер Десять фотографов не было. Поймав взгляд премьер-министра, Джек спросил:

* Рой Хэттерсли (р. 1932) – политик-лейборист, писатель и журналист, критик новых лейбористов.

– У вас все в порядке, сэр?

Премьер-министр жестом загнал личного секретаря в здание.

– Меня только что выпороли в палате, Джек.

Джек с тревогой отметил, что глаза у премьер-министра блестят чем-то, подозрительно похожим на непролитые слезы.

– Весьма сожалею, сэр, – резко сказал он.

Вместо того чтобы пройти в здание, премьер-министр задержался на крыльце и принялся рассказывать о фарсе с поездом. Джек слушал, сложив руки на груди. Когда премьер-министр наконец замолчал, Джек сказал:

– Сегодня первое апреля, сэр. Может, ваш ответ на вопрос о поезде – шутка?

Эдвард помотал головой:

– Нет, я просто глупо соврал. А если честно, я уже много лет не ездил на общественном транспорте, не покупал молока и не сидел в очередях в заведениях национальной системы здравоохранения. Я совершенно потерял связь с тем, как живет большинство людей.

– Но разве ваши советники не обеспечивают такую связь, сэр? – спросил Джек.

Эдвард выпалил:

– Они живут в том же стерильном пузыре, что и я, Джек! Я уже много лет не ел рыбу и жареную картошку из газеты*.

– Все уже много лет ничего такого не ели, – возразил Джек. – Это противоречит Закону о здраво-

---

* Одна из английских традиций, почти сошедших на нет: жареную рыбу с картошкой продавали на улицах, заворачивая их в газетные листы.

охранении от 1971 года. – Впрочем, он не получил удовольствия от того, что подтвердил изолированность премьера от народа, которым тот управляет.

Чей-то голос шепнул Джеку на ухо, чтобы тот передал премьер-министру, что звонит полковник Каддафи и желает срочно с ним поговорить. Джек передал сообщение, но премьер-министр, похоже, не собирался входить в дом.

– А как вы отдыхаете, Джек?

– Беру пакет чипсов с сыром и луком, бутылочку «Кроненбурга» и сажусь смотреть «Полдень»*, сэр.

– «Полдень»! – восхищенно повторил премьер-министр и запел: – «Не покидай меня, любимая...»

– Оно самое, – сказал Джек. – Я уже раз двадцать видел, если не больше.

Зайдя наконец в здание, премьер-министр переговорил с личным секретарем. Если Каддафи очень надо, пускай перезвонит. Затем он отменил очередную плановую встречу – с начальником штабов НАТО. Потом позвонил Венди, попросил достать пиво «Кроненбург», чипсы и кассету с «Полднем» и принести все это наверх в его личную гостиную.

После чего премьер-министр позвонил Александру Макферсону и попросил устроить интервью с Эндрю Марром с Би-би-си по поводу его искусной первоапрельской шутки. Он хотел было пригласить к себе Джека, но понял, что слишком поздно перетасовывать график дежурств лондонской полиции. Поэтому сел смотреть фильм в одиночестве.

* Классический голливудский вестерн (1952) с участием звезд американского кино Гэри Купера и Грейс Келли.

Малкольм Блэк сидел за столом, в хаосе своего кабинета, и ел яйцо-пашот на пригорелом тосте. Он сам его приготовил. Жена ушла, а тревожить персонал он не любил.

Александр Макферсон сказал:

– Не понимаю, как ты можешь работать в таком бардаке, Малк.

Малкольм огляделся, словно впервые видя беспорядок:

– Я-то вроде бы очень хорошо работаю, и опросы это подтверждают. И психическое расстройство мне не грозит.

Дэвид Самуэльсон сидел обхватив голову руками.

– «Полдень», – с отвращением произнес он. – Он же деградирует. Сюжет примитивный, сплошные метафоры, а у Гэри Купера деревянная манера исполнения.

– Если мне будет нужен совет какого-нибудь долбаного кинокритика, я пошлю за Барри Норманом, – прорычал Александр.

Малкольм тихо сказал:

– Биржевой индекс «Файненшл таймс» при закрытии был на два процента ниже. Банк Англии опасается скачка инфляции. Бедняга Эдди малость становится обузой.

– Малкольм, у тебя на галстуке яичница, – сообщил Самуэльсон.

Малкольм ткнул в тонкий ручеек из желтка и облизал палец.

– С Эдом все в порядке, – заявил Александр. – Просто человеку нужен отпуск. Господи, если бы мне его работу, я бы уже сидел в очереди к психиатру.

Малкольм поставил пустую тарелку на шаткую кипу финансовых документов.

– По-моему, я бы с его работой справился.

Самуэльсон напомнил:

– Мы же договорились, Малкольм, что ты подождешь еще пять лет. Или ты на попятный?

Малкольм удивленно посмотрел на него:

– Обстоятельства, Дэвид, обстоятельства.

– Дай ему недельку, – сказал Александр. – Прессу я беру на себя.

– Его вряд ли увидишь на песочке в Тоскане со стаканом кампари в руке, – посетовал Самуэльсон.

Малкольм рассмеялся:

– Можем послать его в Африку.

– Эти гады из прессы его всюду достанут, – буркнул Александр. – Надо его спрятать в подполье.

Как раз когда Гэри Купер и Грейс Келли уносились из города, в комнату вломился Александр.

– Вот как надо города обчищать, Эд. Каждому по стволу, и пускай отстреливают гадов.

На экране пошли титры, Эдвард нажал кнопку перемотки пленки и сказал на манер Гэри Купера:

– Давай честно, Алекс. Я еще справляюсь?

Алекс ответил:

– Тебе нужно отдохнуть, Эд.

– А ты считаешь, что я оторвался от реальности?

– Сегодня утром Мори провел для нас телефонный опрос. После вчерашнего провала «Лицом к прессе» твой личный рейтинг рухнул ниже, чем если бы ты спрыгнул с обрыва, обвязав ногу лианой. Восемьдесят пять процентов британской публики уверены, что ты не знаешь жизни обычных людей сегодняшней Великобритании.

Эдвард постоял у окна, потом обернулся, как бы собравшись произнести шекспировский монолог перед аудиторией первокурсников.

– Я утратил связь с народом. – Он воздел руки, словно ища на них следы крови, и прошептал: – Восемьдесят пять процентов. А кто же те пятнадцать, которые считают, что я *не* оторвался от народа?

Александр ответил:

– Такие, как мы, Эд. Те, у кого рычаги в руках.

– Но это же *очевидно* смешно – я же не потерял связь с народом. Я беседую с Венди, с Джеком у дверей.

– Что это за Джек у дверей? – удивился Александр.

– Полицейский констебль Джек Шпрот. Он смотрел «Полдень» больше двадцати раз, и это он подкинул идею насчет первоапрельской шутки, и это его мать избили.

Через час у Джека в ухе раздалось приглашение зайти наверх в гостиную премьер-министра, как только появится сменщик. Сменщиком оказалась констебль Харрис, молодая чернокожая женщина, с которой Джек как-то пересекался на стрельбах.

Коротко пошутив насчет возможной причины вызова, Джек снял шлем, и его провели наверх.

Премьер-министр вышел ему навстречу и представил Александру Макферсону.

– Поздравляю вас, констебль Шпрот, вы только что выиграли недельную поездку, – объявил тот.

– Куда?

– По Великобритании.

– Я один еду? – уточнил Джек. Интересно, есть ли выбор, подумал он.

– Нет, – сказал премьер-министр. – Меня прихватите, отъезд сегодня вечером.

За прошедший час навели справки о надежности Джека. Он оказался во всех отношениях идеалом: ни жены, ни детей, ни иждивенцев, кроме пожилой матери, которая живет в далеком Лестере. Никто среди гражданских лиц его не хватится.

Александр бросил Джеку экземпляр доклада отдела безопасности. Доклад был исчерпывающий.

Джек проштудировал его и подумал: «По нему выходит, я до тошноты приличный зануда».

– Кстати, – ненароком спросил Александр, – политика вас интересует?

– Могу начать день коммунистом, пообедать социалистом и лечь спать консерватором, сэр, – ответил Джек.

Эдвард рассмеялся:

– А наоборот?

– Ну нет, сэр, – покачал головой Джек. – Консерватором я день ни за что не начну.

– Я всегда завидовал Иисусу с его экскурсией в пустыню, – вздохнул Эдвард, – там принимались важные решения.

Александр рявкнул:

– Ага, только кто ж тебе даст сорок дней и сорок ночей. В твоем распоряжении максимум неделя.

– Если всего неделя, – вмешался Джек, – придется смотреть Великобританию на бегу, сэр. Особенно если на общественном транспорте.

– На общественном? – поразился Эдвард. – А разве не проще вертолетом?

– Типа как простые люди, с чьим мнением ты жаждешь познакомиться? – съязвил Александр.

– Какова ваша цель, сэр? – спросил Джек. – Чего вы хотите достичь?

Эдвард моргнул.

– Не знаю, Джек. Хочу ознакомиться с заботами британских масс.

– А маршрут у нас есть? – Никто не ответил, Джек продолжил: – Ладно, я должен заехать домой, собраться.

– Мне нужно съездить в Эдинбург, – возбужденно сказал премьер-министр.

С раннего детства и по сей день каждый час Эдварда Клэра был жестко расписан. Даже в самые беззаботные времена, когда он отрастил гриву и играл на гитаре в рок-группе, приходилось планировать время, чтобы репетировать. А теперь, когда беззаботность осталась далеко позади, его так называемый досуг был рассчитан до секунды. Он часто произносил речи о свободе. Теперь ему выпал шанс испытать ее на себе.

Высокопоставленный чиновник помог быстро все спланировать. Отсутствие премьер-министра, конечно, не пройдет незамеченным. Придумали официальную версию, будто он проводит учения по управлению страной после атомной войны – в секретном бункере на глубине сотни метров в сельской глуши Уилтшира.

Заместитель премьера, Рон Филлпот, был отозван из пятизвездочного отеля в Белизе, где участвовал в конференции по выплате долгов третьего мира.

Александр вызвался сообщить новость Адель и заверить, что Эдвард любит ее больше жизни.

– Каковы конкретно мои обязанности? – спросил Джек. – И как надолго?

– Будете сопровождать, – ответил Александр.

Эдвард быстро добавил:

– И заниматься деньгами и билетами, пока я взаимодействую с общественностью.

Джек чуть не рассмеялся вслух над детским энтузиазмом премьер-министра. По мнению Джека, общественность опасно испортилась с тех пор, как он надел полицейскую форму. В прежние годы большинство пар были женаты, а партнером называли совладельца в маленьком бизнесе, пожилые люди ходили по улицам беззаботно и дети не вопили «Дорогу мусору!», завидев тебя в форме.

Трое – Джек, Эдвард и Александр – прошли в главную спальню и распахнули гардеробы и шкафы Адель. Лицо у премьер-министра было хоть и неприметное, но моментально узнаваемое от Хаддерсфилда до Соуэто, поэтому его требовалось замаскировать.

Преображение Эдварда в Эдвину удалось на удивление легко. Помогло то, что они с Адель примерно одного роста и сложения и оба носят обувь сорокового размера. И еще то, что иногда, в те дни, когда с волосами творилось черт-те что, Адель надевала парик.

Адель часто хвасталась своим подругам-феминисткам: «Эдди – просто девочка».

Превращение Эдварда в Эдвину заняло всего тридцать пять минут (включая бритье и выщипывание бровей); уложились бы и быстрее, если бы Эдвард поначалу не настаивал на том, чтобы надеть пояс с подвязками и чулки. Никто из мужчин не мог решить, как Адель носит кружевной пурпурно-черный пояс с висячими резиновыми подвязками – поверх панталон или под ними.

Именно Джек убедил сопротивляющегося премьер-министра вместо чулок и высоких каблуков надеть колготки и мокасины, заметив, что чулки и шпильки хороши на обеде при свечах в День влюбленных, но вовсе не годятся для того, чтобы мотаться в них по всей Великобритании.

Джеку пришлось вмешаться и когда выбирали верхнюю одежду: он убедил Эдварда, что милые пляжные платьица, которые были сшиты для последнего визита Адель на вилле в Тоскане, выдают слишком много мужской плоти, а кроме того, мягко напомнил он премьер-министру, в апреле в Великобритании снег – нормальное явление. Выбор остановили на скромном гардеробе: расклешенный костюм от Николь Фари, пара кашемировых водолазок – розовая и голубая, пара спортивных брюк DKNY и длинный свитер, чтобы прикрыть премьер-министру пах.

На взгляд Джека, премьер-министр все еще смотрелся как мужик в одежде своей жены. Впрочем, парик оказался настоящим триумфом черных кудряшек и завитков, и после того, как его нахлобучили на голову, а Эдвард прошелся по лицу тенями, помадой и тушью, он мог бы почти впритирку разминуться с собственной женой на лестнице, и та его не узнала бы.

Прежде чем выйти из дома Номер Десять, оговорили основные правила. Мобильный телефон будет только у Джека, а связь между ними и домом Номер Десять разрешена лишь в чрезвычайных обстоятельствах. Александр все берет на себя: Адель сообщат, что муж в бункере, а Рону Филлпоту не позволят принимать важных решений в отсутствие премьер-министра.

Полицейский констебль Харрис, пожелав Джеку Шпроту и его приятельнице доброй ночи, смотрела, как они вышли из ворот и скрылись в легкой мороси. Она не могла подавить ревности. Это ее должен был вести под руку Джек Шпрот.

Шагая с Джеком к Трафальгарской площади, премьер-министр чувствовал себя удивительно легко, словно государственное бремя действительно свалилось с его плеч и укатилось себе на Даунинг-стрит.

– От Черинг-Кросс поедем на метро, сэр.

– Слушайте, Джек, я человек простой, так что, так сказать, бросьте эти церемонии, чтобы без «сэров», идет?

Джек кивнул и спросил, как премьер-министр хочет, чтобы его называли.

– Друзья зовут меня Эд, – сказал премьер-министр.

– Ну а мне-то как вас называть? – спросил Джек.

Он понял, что задел премьер-министра, поскольку тот ослабил захват на его руке, но извиняться не стал. «Какой я ему, на фиг, друг, – подумал Джек. – Я за него даже не голосовал, а тут запрягли таскать сумку типу, который выглядит как Джоан Коллинз из бедняков, да еще на целых семь дней».

– Вы полагаете, за нами следят, Джек? Хвост? – спросил премьер-министр.

Джек угрюмо кивнул, а в комнате с видом на Темзу агенты Кларк и Палмер загоготали.

Агент Палмер сказал:

– Само собой, следят!

Агент Кларк добавил:

– И увидим, как будешь в кровати ворочаться!

Оба хохотали до тошноты, глядя, как премьер-министр покидает дом Номер Десять в женском прикиде. Агент Палмер тогда сказал:

– Спорю, часа не пройдет, как какой-нибудь орел на него глаз положит.

Агент Кларк ответил со всхлипом:

– Джек, похоже, на взводе.

Он нажал кнопку увеличения кадра спутниковой связи и увидел кислую улыбку Джека.

– Думаешь, Джек в курсе, что мы за ним следим?

Они снова покатились со смеху, потому что Джек глянул мимо колонны с адмиралом Нельсоном в темное небо, туда, где по орбите движутся спутники слежения, и беззвучно проговорил:

– Здорово, мужики.

Глава шестая

Норма и Джеймс сидели рядышком на диване перед газовым камином. Забытый пылесос все еще был включен в розетку, хотя вычистили только треть ковров с шизофреническим узором. Пепельница, полная окурков, и две кружки с кофе стояли перед ними на кофейном столике. Рядом громоздилась кипа фотоальбомов Нормы.

– А вот Стюарт за месяц до смерти. – Норма ткнула желтым от никотина пальцем в снимок мужчины с тонкими чертами лица и гнилыми зубами.

– Ясно, – сказал Джеймс, не найдя комплиментов в адрес типичного неудачника, смотревшего в объектив с выражением ничем не замутненной радости.

– Он тут счастливый, правда? – Норме хотелось верить, что короткая жизнь Стюарта не была начисто лишена нечаянных моментов счастья.

Джеймс подумал: «Наверное, под кайфом, вот и расплылся», но промолчал, а Норма перевернула страницу и показала снимок Стюарта и Джека – в саду, позади их дома номер десять. Оба оседлали блестящие гоночные велосипеды «Рейли». Велосипеды смотрелись лучше мальчишек, которые устало улыбались в камеру.

– С этими великами вышла куча неприятностей. Джек никак не хотел ездить на своем, когда узнал, что Трев, супружник мой покойный, спер их с витрины «Хэлфордс». Трев так разобиделся: он же старался, искал нужный резак, отключал сигнализацию в магазине. Вот думают, что преступники все чокнутые, а это неправда. Надо все планировать, все предусмотреть. Ведь мы обещали ребятам велики на Рождество, а Трев мне позвонил в самый сочельник и говорит, что у него в фургоне две гоночные машины.

Джеймс вскинул руки и вольготно потянулся, чувствуя, как тело расслабляется на мягких диванных подушках. Наконец-то он нашел место, где чувствовал себя в безопасности. Он среди своих.

– Норма, а вы не знаете кого-нибудь, кто сдает комнату?

Норма погладила лицо Стюарта на снимке. При жизни он очень не любил, когда его трогали. Многие драки Стюарт затевал лишь из-за того, что его кто-нибудь нечаянно касался.

– А это ты ищешь комнату? – спросила Норма.

– Ну да. Маму вчера отвезли в богадельню. – Джеймс скроил сиротскую физиономию и смахнул притворную слезу. – Не могу я один в том доме, Норма.

Норма резко сказала:

– Ты же говорил, что мама умерла.

Джеймс инсценировал плач, вспомнив, как его собака, Шеба, попала под молочную цистерну. Слезы получились горючими.

Норму встревожило столь неприкрытое проявление чувств. Через минуту она положила руку ему на плечо и сказала:

– Ну так померла твоя мама или жива?

Джеймс зарыдал в голос:

– Родная умерла, а приемная помирает.

– А что у ней? – спросила Норма; она была знатоком смертельных заболеваний.

Джеймс вынул из кармана аккуратно сложенный квадратик бумажной салфетки и вытер глаза.

– Рак печени.

Норма заметила, что его длинные черные ресницы намокли и слиплись.

– А побочные есть? – спросила она.

– Ага, масса, – всхлипнул Джеймс. Он был парень с воображением и явственно видел свою несуществующую приемную мать на белой больничной койке. Она смахивала на умирающую Эвиту в исполнении Мадонны.

– Можешь пока ко мне переехать, если хочешь, – предложила Норма. – Поживешь в комнате с осликами.

Джеймс сказал:

– Я иногда травку покуриваю, Норма. От артрита помогает.

Норма, Тревор и Стюарт частенько забивали косячки, когда Джек отлучался из-за своих скучных хобби – фотография и бальные танцы. Свои счастливейшие минуты она пережила, ловя тихий кайф с мужем и старшим сыном. Такое редкое чувство семьи. Норме ужасно нравилось, когда перед возвращением Джека они втроем метались по дому, открывали окна и поливали все вокруг освежителем воздуха.

Норма перевернула страницу альбома, и Джеймс открыл рот. С фотографии ухмылялось большое симпатичное лицо бывшего президента Билла Клинтона. На заднем фоне маячила дверь дома Номер Десять по Даунинг-стрит, а рядом с ней – полицейский в рубашке, пуленепробиваемом жилете и шлеме.

Норма указала на полицейского и неловко призналась:

– Скажу тебе правду: это наш Джек, ты с ним знаком. Пускай он и полицейский, а все равно я его люблю.

Преодолев шок, Джеймс пробормотал:

– Никто не может решать за детей, Норма.

Птичья трель из кухни напомнила Норме, что пора кормить Питера. Она встала и зашаркала из комнаты, оставив Джеймса изучать фотографии Джека Шпрота в компании Нельсона Манделы, Бобби Чарльтона, Лайама Галлахера*, Дэвида Бэкхема с его шикарной Викторией и еще каких-то старикашнов, чьи лица он где-то видел, но имен припомнить не мог.

Насыпая «Трилл» Питеру в кормушку, Норма слышала, как Джеймс быстро что-то говорит по сотовому.

– У нас жилец, Пит, – поделилась она. – Ноги у него молодые, будет нам помогать, присмотрит за нами.

* Лайам Галлахер – солист рок-группы «Оазис», пик популярности которой пришелся на конец 90-х.

Джеймс крикнул из комнаты:

– Норма, а ничего, если ко мне тут друганы подойдут?

Норма спросила Питера:

– Как думаешь, Пит, разрешить?

Но Пит, похоже, не слушал, поэтому Норма в ответ крикнула:

– Ладно, валяй.

Она поднялась наверх сбросить тапки и надеть туфли на каблуке. Давно уже у нее не собиралось общество.

Тетка Джека, Мэрилин, сказала ему за неделю до того, как умерла в больнице:

– Одно я о тебе знаю, Джек, ты редиска.

И правда, редиску в семье частенько упоминали. На рождественских вечеринках Мэрилин кричала: «Берегись Джека, редиска рядом!» или «У меня тут для Джека редиска, зовите его».

Но были и другие женщины, в том числе и полицейские, знавшие Джека Шпрота не как любителя редиски, а как любовника.

Джек изучил искусство эротики и психологию женщин так же тщательно, как любой предмет интересной ему сферы. Вооружившись картой женских гениталий, он штудировал ее, пока не научился нащупывать путь вслепую. Его постоянно удивляло, что он разбирается в женском организме лучше самих женщин.

Для него было аксиомой, что большинство женщин не умеют обращаться с пенисом и либо смотрят на него как на торпеду, которая вот-вот взорвется, либо хватают так, словно это старый рычаг коробки передач и его можно беспрепятственно крутить в любую сторону.

Женщины в основном вспоминали Джека с удовольствием, потому что ему нравились и они сами, и их тела, а кроме того, он всегда говорил правду: он никого не способен полюбить, это какое-то генетическое нарушение и ничего он с этим поделать не может, по крайней мере, пока наука не придумает что-нибудь, чтобы спасти его от существования без любви.

Джек с премьер-министром стояли в темном неподвижном вагоне Северной линии метро. Премьер-министр ненавидел темноту. Однажды один шахтер в робе с иголочки и блестящем шлеме показывал ему старинную шахту. Когда они достигли самого глубокого забоя и скрючились, глядя на угольный разрез через защитное стекло, погас свет. Тогда в анонимной темноте премьер-министр завизжал как девчонка. Старый шахтер засмеялся и сказал:

– Это что тут за детка темноты боится?

Премьер-министру не хватило смелости в чисто мужской компании признаться, что детка – это он. Не станешь ведь объяснять, что ни разу не спал в полной темноте – с той самой ночи, когда похоронили маму.

Премьер-министр и остальные члены группы тогда скорчились, ожидая, пока под землю спустят аварийный генератор.

Теперь же он замер, ухватившись за петлю, свисавшую с потолка вагона, и по чашечкам соблазнительного и вызывающего бюстгальтера его жены струился пот. Какой-то сумасшедший принялся орать про сэра Клиффа Ричарда, мол, тот сманил Хэнка Марвина в секту свидетелей Иеговы.

Дальше по вагону мужчина с образованным произношением сказал:

– В последний бля раз еду этой сраной долбаной Северной линией. Лучше на карачках потащусь в этот сраный Кэмден-таун на хер.

Полный слез женский голос попросил:

– Родди, ну пожалуйста, давай переедем за город.

Медленно текли минуты, и среди незнакомцев неуверенно завязывались беседы. Сумасшедший обратился к вагону и сообщил всем, что Дэвид Бэкхем – новый Мессия, а Джереми Паксман* – Антихрист.

Система громкой связи издала высокий свист, и голос с южно-лондонским акцентом лаконично объявил:

– Дамы, господа и все прочие, лондонское транспортное управление с сожалением сообщает, что в связи с правонарушением, совершенным представителем общественности, данный поезд вынужден простоять еще минут двадцать. То есть два десятка минут. Опять-таки, лондонское транспортное управление приносит извинения за причиненное неудобство.

* Джереми Паксман (р. 1950) – политический журналист и писатель, автор нашумевших книг «Англичане: портрет нации» (1999) и «Политическое животное» (2001), ведущий популярного политического ток-шоу на канале Би-би-си.

Очень немногие видели изнутри квартиру Джека на Айвор-стрит в Кэмден-тауне. Ему нравилось большинство людей, а кое-кого он почти полюбил, но считал невозможным делить жилое пространство с кем-то еще. Джек слишком ценил мелочи быта. Его передергивало, если полотенце висело не ровно посередине горячего полотенцесушителя в ванной, и буквально корежило, если баночка с соленьем не стояла вровень с собратьями в шкафчике для консервов и варений. Каждый предмет в маленьких комнатках его квартиры имел свое постоянное место. Джек был счастлив, только когда каждая ложечка лежала в правильном ящичке, а каждый компакт-диск стоял на своей полочке в алфавитном порядке.

Как-то раз он впустил в свой дом хаос в лице Гвендолен Фармер, необычайно привлекательной и ужасно настойчивой женщины, с которой встречался три месяца в 1998 году, когда его перевели в Новый Скотленд-Ярд прослушивать записи телефонных переговоров. Гвендолен обвинила его в том, что он женат. Иначе почему он еще ни разу не пригласил ее к себе? Она живет буквально в десяти минутах от него, так почему же они всегда именно к ней ходят заниматься любовью, энергично и с фантазией?

В минуту слабости Джек капитулировал, но через полчаса после того, как она вошла (чуть сбив коврик у двери и мгновением позже сдвинув вправо диванную подушку), между ними все было кончено.

В тихое упорядоченное жилище Джека Гвендолен ворвалась как дикий зверь. Она принесла с собой беспорядок и увечья – планеты сталкивались, Солнце вращалось вокруг Земли, реки текли вспять, псы скрещивались с котами, мертвецы оживали и время повернуло свой ход.

Гвендолен так и не поняла, что произошло. С ее точки зрения, она вошла в неестественно чистую и аккуратную квартиру, швырнула пальто на диван, сбросила туфли, удобно устроилась, зажгла сигарету и стала рассказывать Джеку о том, как прошел день в отделе розыска.

Уже на следующее утро она со слезами делилась с коллегой:

– У него лицо побелело, он весь затрясся и попросил меня уйти. А что я такого сделала?

Джек чуть не попросил премьер-министра подождать перед входной дверью на улице, но бедный трансвестит в своем смешном наряде стал бы легкой поживой любого прохожего хама. Джек стиснул зубы и позволил премьер-министру вступить в тесную прихожую, а потом зашел сам и прикрыл за собой дверь.

– Вот это да, сколько книг, – удивился премьер-министр. – И вы все прочитали?

– Нет, сэр, они мне нужны для утепления и изоляции, – с сарказмом ответил Джек.

У премьер-министра отлегло от сердца. Он не вполне понимал, в чем дело, но ему стало как-то не по себе при мысли, что придется провести неделю с человеком, который действительно прочел полные собрания сочинений Маркса, Энгельса и Уинстона Черчилля.

– Расставлены в каком-то особом порядке, – сказал премьер-министр, проводя пальцами по корешкам любимых книг Джека.

– Система Дьюи, сэр. – Джека перекосило, когда гость вытащил «Права человека» Томаса Пейна, а потом неправильно вставил между «Англичанами» Джереми Паксмана и поваренной книгой «Две толстухи» Дженнифер Патерсон. Джек оставил премьер-министра изучать коллекцию компакт-дисков в гостиной, а сам поспешил в спальню, где собрал небольшую сумку. Он выбрал один из трех теплых замшевых пиджаков, висевших в целлофановых чехлах в шкафу для одежды, через пять минут вернулся в гостиную и повел премьер-министра к выходу.

– Значит, миссис Шпрот нет? – спросил премьер-министр, пока они ждали автобус № 73 до вокзала Кингс-Кросс.

– Нет, сэр, – сказал Джек.

Премьер-министр кивнул в сторону набережной и прошептал:

– Вы просто обязаны перестать называть меня «сэр», это же так очевидно выдает. Зовите меня Эдвард. Впрочем, нет, наверное, в данных обстоятельствах лучше подойдет Эдвина. – Премьер-министр по-девчоночьи стеснительно рассмеялся и спросил: – А можно нам сесть на верхней площадке?

Джек отрабатывал про себя произношение имени «Эдвина».

Скопление народа на вокзале Кингс-Кросс напоминало массовку из старого русского кино про Октябрьскую революцию: то же ощущение суматохи и отчаяния. У станции Питерборо сошел с рельсов поезд, а в авиадиспетчерской службе Суонвик отказал компьютер, и все это привело к тому, что желавшие уехать в Эдинбург ночным поездом застряли на вокзале. Джек держал премьер-министра за руку, ведя его через толпу.

Сторонний зевака увидел бы внимательного мужа, который заботится о взвинченной жене. Зритель более наблюдательный заметил бы у жены довольно крупный кадык, местами плохо выбритый.

Джек взглянул на табло и увидел, что поезд на Эдинбург, на который они собирались сесть, задерживается до дальнейшего уведомления. Свободных мест в зале ожидания не было, и они сели прямо на пол. Несколько раз Джек оставлял премьер-министра присмотреть за вещами и вставал в длинную очередь в буфет. Премьер-министр иногда забывал, что он женщина, и садился, широко расставив ноги, а парик у него съезжал набок. Тогда Джек мягко напоминал ему о том, что он сменил пол.

Старая женщина, сидевшая по соседству на чемодане, обратилась к премьер-министру:

– Я заплатила за билет сто тридцать фунтов и все сижу, уже целых пять часов, никаких объявлений, никакой помощи от персонала. Вообще никакого персонала. У Муссолини по крайней мере поезда ходили по расписанию. Стране нужна диктатура.

Когда они сели в поезд, было уже пять утра. Закинув на плечо обе сумки, Джек толкал премьер-министра через энергично работавшую локтями толпу – все спешили занять места. Они пробрались по проходу, отыскивая два места рядом, и наконец-то уселись друг против друга за столиком на четверых. Один угрюмый незнакомец в камуфляже вытащил сумку с шестью высокими банками экстракрепкого пива «Мак-Юанз» и поставил на стол перед собой – недобрый знак. Другая угрюмая незнакомка, молодая женщина с геометрически правильной прической, раскрыла книгу «Системы менеджмента в глобализованном мире».

Вскоре все места в вагоне были заняты, но люди все входили, волоча тяжелые чемоданы, неуклюжие свертки и сумки.

Премьер-министру пару раз чуть не сшибли парик, пока Джек не предложил поменяться с ним местами. Воспитанного премьер-министра оскорбляло, что женщины стоят в проходе, он порывался предложить им место, но напоминал себе, что теперь он и сам женщина. И вообще женщины вроде Адель много лет боролись за право стоять в автобусах и вагонах, пока мужчины сидят.

Он прижался лицом к оконному стеклу и вперился в серый рассвет. Мимо проплывали предместья Лондона. Его удивило, что палисадники и дворы домов, мимо которых шел поезд, так неопрятны, а сараи и пристройки чуть не разваливаются. Почему люди копят в своих садиках старые холодильники, печки и прочий мусор? Может, надеются, что когда-нибудь пригодится в хозяйстве? Он спросил мнение Джека.

Ответил угрюмый мужик в камуфляже:

– За вывоз слупят сто пятьдесят фунтов. У нас ведь это херово правительство ввело налог на свалки.

Он представился. Его звали Мик, он ехал к брату на свадьбу. Мик спросил премьер-министра, зачем она едет в Эдинбург.

Премьер-министр потупил глаза и тихонько ответил:

– Надеюсь отыскать могилу матери.

– Круто, – сказал Мик, приканчивая третью банку. – А это, значится, муж? – и кивнул на Джека.

– Нет, – солгал премьер-министр. – Это мой брат.

– А муж-то где? – напирал Мик.

– Я не была замужем. – Вранье давалось Эдварду легко. С правдой было гораздо сложнее. В его политическом мире одно-единственное правдивое высказывание могло обрушить или взвинтить курс фунта стерлингов.

– А мне как-то не особо везет с бабами, – сказал Мик, явно напрашиваясь на сочувствие. – Не знаю, что неправильно делаю. Выгуливаю их, выпивку им покупаю, пиво, эль, чего покрепче, кохтейли всякие. Я даже им жрачку покупаю, ежели голодные, так ты мне скажи, цыпочка, в чем моя ошибка?

Молодая женщина с геометрической прической пробормотала под нос: «О боже» – и ударила книгой о стол.

Мика несло:

– Брату не надо бы на этой бабе жениться, это же сука из Истерхауса. Она за него только из-за бабок выходит, он же подрядчик.

– В какой отрасли? – спросил премьер-министр.

– А в любой, – хохотнул Мик. – Ему самому работать не приходится, передает заказ другому субподрядчику, а *тот* другому и так далее – понятно? – Мик долго и громко смеялся.

Джек закрыл глаза и позволил перестуку колес, которые бежали по рельсам, уложенным субподрядчиками, убаюкать себя до полусознательного состояния. Сквозь дрему он слышал, как Мик рассказывает премьер-министру, что из того выйдет кому-то «милая женушка», так почему бы им не встретиться и не глотнуть чего покрепче после свадьбы братишки? Да и вообще, почему бы Эдвине тоже не пойти на свадьбу? Он бы с гордостью явился в церковь под ручку с Эдвиной. Вот он сейчас позвонит брату и закажет лишнюю гвоздику.

Джек услышал, как премьер-министр сбивчиво оправдывается:

– Вы так добры, только, видите ли, я в Эдинбург очень ненадолго, и, так сказать, мы с Джеком будем так заняты, так что, так сказать, очень мило с вашей стороны, но не стоит беспокоиться насчет гвоздики, так сказать.

Однако Мик разозлился и решил обидеться.

Премьер-министр на всякий случай попросил прощения и у женщины рядом. Та неуклюже встала и вышла в проход, сжимая мобильный телефон. Она посылала сообщение, и ее ловкие пальцы продолжали набирать слова, когда премьер-министр, спотыкаясь, побрел в туалет в другом конце вагона. Ему хотелось где-то уединиться и подумать не только о налоге на использование свалок и его уродливых последствиях, но и о тревожном открытии: в одежде жены ему удобнее, чем в собственной.

Премьер-министр сел на стульчак и принялся искать в сумочке помаду и румяна. После бритья прошло по меньшей мере десять часов, и уже пробивалась щетина. Он растирал румяна по лицу, пока оно не покрылось маской цвета печенья, затем тщательно прошелся помадой по контуру губ. Порепетировал перед зеркалом женские выражения лица.

Поправив черные кудри, норовившие съехать набекрень, премьер-министр решил, что он скорее блондинка, чем брюнетка, и потому в Эдинбурге попросит Джека снять мерку с его головы и пошлет купить новый парик, что-нибудь в духе Мэрилин Монро из фильма «Некоторые любят погорячее»*. С этим фильмом он себя теперь ассоциировал вполне конкретно. И пускай Джек выберет еще разных нарядов поинтереснее. Уж если быть женщиной, то чувственной и шикарной. Совсем не хотелось провести неделю женщиной в невзрачной и неброской одежде. Премьер-министр все еще жалел, что дал себя отговорить от высоких каблуков. Он был уверен, что немножко практики, и он бы освоился.

В отсутствие премьер-министра Джек не упустил шанс поболтать с Миком. Он наклонился к нему и очень тихим голосом сказал:

– Еще слово сестре – и я тебе башку оторву и продам в зоопарк на корм львам.

Среди немногих фактов, известных Джеку об Эдинбурге, он помнил, что кроме Трона Короля Артура** и ежегодного фестиваля искусств там есть зоопарк.

Цедя пятую банку, Мик уважительно кивнул. Он и сам поступил бы точно так же, если бы чужак в поезде стал клеиться к его сеструхе.

В дверь туалета яростно забарабанили, и грубый голос проорал:

– Какого хера ты там застрял?

---

* В советском прокате фильм шел под названием «В джазе только девушки».

** Памятник Средневековья на Эдинбургском холме.

Но премьер-министр чистил зубы и не мог остановиться. Он сделал только сто двадцать два движения щеткой, и оставалось еще семьдесят восемь. Чистя зубы, он думал об Адель: как она отнеслась к вести, что он в командном бункере и на неделю отрезан от мира? С самой первой их встречи не было ни дня – ни даже полдня, – чтобы они не поговорили. Он надеялся, что она не забудет принимать лекарство. Без лекарства Адель становилась совсем другим человеком – не уверенной в себе, элитной звездой, которую он знает и любит, женщиной, решительно шагающей по международной арене как истинный гладиатор, а жалким хнычущим существом, которое лежит в постели и ноет, что у нее слишком толстые бедра. Нужно спросить Джека, нельзя ли позвонить Венди и попросить ее последить за Адель, чтобы та дважды в день принимала свои двадцать пять миллиграммов лития.

Джек откинулся на сиденье, прикрыл глаза и слушал, как молодая женщина напротив бесконечно названивает по офисам с мобильного телефона.

– Фергус, я в поезде. Слушай, я не успею к бесклювым безногим цыплятам – на совещание с торговцами курятиной, – поэтому будешь вместо меня. Слушай, они там начнут спорить, что смертность один из пяти. Это фигня. Если у цыплят нет ног, они еще могут жить сорок восемь часов, так что при смертности... Алло, алло, Фергус, что-то сорвалось...

Мик сказал:

– Курятинка на обед – по кайфу.

Подремав, Джек проснулся и обнаружил, что поезд несется по Нортумберленду. Пол вагона был усыпан слоем пакетов, по проходу туда-сюда катались пластиковые стаканы, как перекати-поле в городке на Диком Западе. В воздухе висел запах фастфуда и немытой плоти. Джеку хотелось пройтись по поезду, размять ноги, но, повернув голову, он увидел, что придется переступать через тела спящих пассажиров и их багаж. Скорей бы уж приехать в Эдинбург, сельская местность ему никогда не нравилась. Когда он был ребенком, мать грозилась отправить его туда в наказание: «Будешь плохо себя вести, отправлю в деревню».

Глава седьмая

Норме не часто доводилось иметь дело с иностранцами. В рабочем клубе был Черный Чарли – такой яркий тип, всегда шутил, что ему не надо загорать, и никогда не обижался, если кто в него кидал бананом. Но с тех пор как Чарли вдруг свихнулся и воронок увез его в «Башню», Норме редко приходилось делить компанию с черными, коричневыми или желтыми. И вдруг ее гостиная враз ими наполнилась. Не протолкнуться. Двое сидели на столе Джека, болтали ногами и смеялись над историей, которую рассказывал Джеймс. Как-то раз он позаимствовал «мерседес-С», когда тот был припаркован у клуба, а потом оказалось, что это машина начальника отдела по борьбе с наркотиками.

Норма сказала:

– Ты плохой мальчик, Джеймс! – Она понимала, что означает «позаимствовал».

Джеймс встал с пола, где сидел по-турецки, и поцеловал ее в щеку:

– Прости, мать. – Норма рассмеялась, а он спросил: – Мать, а ничего, если мы тут курнем?

Норму вопрос поначалу озадачил, ведь большинство мальчиков уже курили; в комнате было хоть топор вешай, да и у самой Нормы «Ламберт и Батлер» дымился.

– Ты же не против, если чуток травки, а, мать?

Норма недавно видела в новостях, как в Брикстоне полицейские на улицах курят марихуану, чтобы снять боль от ревматизма, поэтому разрешила:

– Ладно, валяй. Прикури-ка и мне, я тоже затянусь.

Через несколько часов густое облако дыма от марихуаны окутало клетку Питера в кухне. Попугай спал на жердочке, и ему снился дивный сон: Питер летел, свободно и высоко, над Синими горами в Австралии, которую он никогда не видел, но о которой всегда мечтал.

Джек почти всегда вел себя послушно. Однажды он отказался бежать за сигаретами для Нормы, потому что был на предпоследней странице «Гроздьев гнева»*; а еще был случай, когда он потратил на словарь все деньги, выданные на бассейн. Но в сравнении со Стюартом, который в детстве почти каждый день дрался, Джек был святым – чистый, опрятный, вежливый и спокойный. Если он не сидел за столом, значит, читал в своей комнате наверху. Казалось, он обходился без друзей, хотя иногда к нему заглядывал парнишка по имени Джон Бонд, и они отправлялись в районную библиотеку, здание в форме пирога. Как-то раз Норма стояла под окном спальни Джека и подслушала его разговор с Джоном. Речь шла о чем-то непонятном, их лексикон был для нее

* Роман классика американской литературы Джона Стейнбека (1902–1968).

как иностранный язык. Говорили по-английски, но даже если бы ей под ногти загоняли бамбуковые щепки, она не смогла бы объяснить, что они друг другу сказали. Иногда ее тревожило, все ли у Джека нормально с головой. Учитель в начальной школе сказал ей раз на рождественском концерте, что Джек развит не по годам. Она рассердилась и ответила: «Он про секс и не слыхал, не то чтоб заниматься этим паскудством!» Но учитель объяснил, что «не по годам» – это в смысле, что Джек очень умен для своего возраста, и Норма должна им гордиться.

Поезд остановился в Ньюкасле, часть усталых пассажиров собрали пожитки и выстроились на выход. Прежде чем сойти с поезда, молодая женщина сняла крошечный чемодан с багажной сетки и сделала последний звонок:

– Пирс, я тут с этого чертова поезда схожу. Слушай, пока я еду, найди в Интернете насчет куриных глаз, ладно? Ну да, или где-нибудь в разделе «сбыт субпродуктов», что-то в этом роде. Я ищу рынок сбыта. Мы пока проводим глаза как отходы, а может, это непочатый рынок? Ближний Восток, это я навскидку, а если ничего нет, может, изучим как вариант породу без глаз, зачем им глаза, они же никуда не ходят – они же не занимаются вышиванием у себя в инкубаторе. Ну да, понятно, мелочь, но выйдет экономия в пятьдесят кубических футов в рефрижераторе, пригодится. Может оказаться вполне выгодная ниша.

Джек представил цыплят без глаз, клювов и когтей, которыми занималась молодая женщина. И уже не впервые подумал, присматривает ли за такими тварями какой-нибудь бог.

Когда молодая женщина вышла на платформу, Джек сказал:

– Как хорошо, что я не среди ее цыплят, Эдвина.

Премьер-министр ответил:

– Не следует сентиментальничать насчет животных, Джек. У этой женщины есть предприимчивость, нам нужно больше такой дельной молодежи.

Но когда премьер-министр в очередной раз задремал где-то в районе Бервик-апон-Твид, ему на три секунды явился кошмар: слепой цыпленок ведет поезд, и они мчатся на красный свет со скоростью сто миль в час.

Поменявшись местами с премьер-министром, Джек надеялся, что место рядом с ним останется пустым, но пока поезд набирал скорость и качался на вираже, а банки «Мак-Юанз» катались по полу с приятным музыкальным звуком, в купе ввалился какой-то толстяк и навис прямо над Джеком. Неожиданно звонким голосом он выдохнул:

– У вас свободно?

Толстяк положил на стол свой ноутбук и втиснулся на сиденье. Край стола вонзился в его живот, обтянутый белой рубашкой. С бычьей шеи свисал темно-синий галстук со скрещенными гольф-клюшками. Интересно, где он покупал свой костюм, подумал Джек. На него пошло столько ткани, что хватило бы на парус для небольшой яхты.

Джека раздражало учащенное дыхание толстяка. Наконец тот выдал:

– Обычное дело, часами жду поезда, который задерживается, а когда поезд приходит, я торчу в очереди в кафе-кондитерской.

Разговаривать Джеку не хотелось, поэтому, показав коротким смешком, что он оценил иронию ситуации, когда приходится догонять поезд, опоздавший на шесть часов, он закрыл глаза. Этот жест в любой культуре означает, что человек не желает принимать участия в беседе. Но толстяк самими своими размерами был обречен на роль экстраверта и не мог молчать.

Проснувшись, премьер-министр обнаружил, что Мик пускает слюни на шелковый костюм Адель. Он мягко отвел голову Мика, но та, как кегельный шар, скатилась назад под собственным весом.

На столике лежала визитная карточка: «Дерек Ф. М. Бейкер. Финансовый консультант, эксперт по пенсионным вопросам».

Дерек Бейкер объяснял Джеку, что дарственные закладные пользуются дурной славой, но по-прежнему остаются разумным вариантом для начинающего инвестора. Джек чувствовал себя статистом в ковбойском фильме, которому коммивояжер в лихо сдвинутом на затылок сомбреро продает в вагоне притирание, отпугивающее змей. Не убедив Джека перезаложить его «лондонскую недвижимость», Дерек предпринял попытку заглянуть в финансовое будущее Джека. Когда тот ответил, что «спасибо, все схвачено», Дерек поднял короткий толстый палец и сказал:

– Да, схвачено, но как насчет старости? Вы можете дожить до девяноста, даже до ста. Хватит ли вашей пенсии на пансионат, который вам понравится? Или вас бросят гнить в государственное учреждение?

Тут уж премьер-министр был не в силах смолчать.

– Простите, мистер Бейкер, позвольте вас кое в чем поправить. Во-первых, «Совместная пенсионная программа», принятая последней сессией парламента, есть чрезвычайно эффективное налоговое средство и доступна всем, независимо от уровня доходов. Во-вторых, что, пожалуй, более важно, в дополнение к этому наше правительство сделало все, чтобы привлечь сбережения на срок после выхода на пенсию с минимальными и максимальными пенсионными взносами, а равно и с совместными пенсиями, невзирая на жесткую ревизию правил, которыми руководствуются отраслевые программы.

Возможно, Дерек Ф. М. Бейкер и не был сбит с ног тем, что странноватой наружности англичанка настолько осведомлена в пенсионной политике, но ее познания его определенно впечатлили. Жаль, что у бедняжки такие жуткие проблемы с растительностью на лице. Впрочем, здесь может помочь «Иммак».

– А вы сами в бизнесе, э-э?.. – спросил Бейкер.

– Эдвина, – подсказал премьер-министр. – Нет, я... – Он запнулся, а Джек задался вопросом, какую же стезю выберет премьер-министр.

Перед тем как покинуть Даунинг-стрит, премьер-министр так и не решил, кто же он: госслужащая, домохозяйка или политический лектор.

– Я актриса. – И премьер-министр кокетливо откинул с лица черную кудряшку.

– То-то же смотрю, знакомое лицо, – обрадовался Бейкер. – И где же я мог вас видеть?

К моменту, когда поезд вполз на станцию Вейверли в Эдинбурге, премьер-министр уже выстроил целую актерскую карьеру – от трудного дебюта в репертуарном театре до обедов в «Айви» с Мэгги Смит и посещения садовых центров в компании Джуди Денч*.

Джека поразила способность премьер-министра безраздельно предаваться фантазиям, и его лишь чуточку встревожило, когда, выходя из вагона, премьер-министр сказал:

– Ах, наконец-то Эдинбург. Я здесь победила в конкурсе «Перрье» в восемьдесят втором**.

Им обоим не нравилось, что придется жить в одном номере. Но это было одним из условий, которые они согласовали с Александром Макферсоном: Джек должен постоянно держать премьер-министра в поле зрения, за исключением походов в уборную.

Портье отеля «Каледония» привык к странным постояльцам. Боже, вы бы поглядели во время фестиваля искусств! Не вестибюль гостиницы, а просто приемная психлечебницы. Так что по сравнению с прочими чокнутая дама и высокий неулыбчивый мужчина выглядели вполне нормально. Портье както вызвали в номер, а там постоялец готовил на примусе омара. Ужасно возмущался, когда ему сказали, что в номерах готовить запрещено. «Вы что, не видели, сколько в ресторане стоит омар?» Поэтому когда мистер и миссис Шпрот позвонили и по-

---

* Мэгги Смит (р. 1934) – известная английская театральная и киноактриса. Джудит Денч (р. 1934) – актриса, примадонна современной британской сцены, признание завоевала ролями в пьесах У. Шекспира.

** Ежегодная премия, присуждаемая актерам-комикам в рамках Эдинбургского театрального фестиваля.

просили мерную ленту и список крематориев Эдинбурга, портье совершенно не встревожился.

Джек отправился в универмаг «Бентлиз» на Рой ал-майл, искать парик а-ля Мэрилин Монро. Продавщица едва слыхала о Мэрилин Монро и в жизни не видела «Некоторые любят погорячее», так что Джеку пришлось самому разбираться с париками. Его вывело из себя, что все они безразмерные, выходит, зря прождали целую вечность, пока найдут и принесут мерную ленту, и напрасно возились, снимая мерку с головы премьер-министра.

Когда парик был завернут и оплачен, Джек посмотрел на список, который премьер-министр составил на гостиничной бумаге.

1. Платье, размер 46. Что-нибудь для коктейля, с блестками или отливом. Как у актрисы.

Прочитав этот пункт, Джек сообщил премьер-министру, что вряд ли актрисы носят такие вещи днем. Он как-то раз видел Джульетту Стивенсон в «Уотерстоунз» на Трафальгарской площади, так на ней была старая коричневая куртка, а в руке – пакет из супермаркета. Но премьер-министр не знал удержу, и Джек предложил купить два платья. Поэтому вторым пунктом шло:

2. Приталенное послеобеденное платье с расклешенным подолом, что-нибудь шелковое, чтобы воздушно колыхалось, когда идешь.

3. Обувь. НЕПРЕМЕННО высокий каблук и с ремешками или открытым носком.

4. Пальто. Шуба? Кожа? Дубленка? Змеиная кожа?

5. Солнечные очки.

6. Украшения.

Джек заметил, что премьер-министр собирается выставить напоказ слишком много волосатой кожи, поэтому премьер-министр позвонил портье и попросил послать человека в «Бутс», купить четыре коробки крема «Иммак».

Час спустя, размазывая лопаточкой крем-депилятор по голеням премьер-министра, Джек думал: «Это уже больше, чем сюр». Отправив Джека за покупками, премьер-министр принял душ, чтобы смыть белую пасту с абсолютно безволосого тела.

Покупателем от бога Джек не был. Два раза в год, в апреле и в ноябре, он ходил в «Маркс и Спенсер» за одеждой на весь сезон, в том числе для мороза и для зноя. Он склонялся к нейтральной гамме и избегал темно-синего цвета, который ассоциировался с работой и долгом. В своей одежде от «Маркса» он чувствовал, что растворяется в толпе, становится невидимым. Ничто в нем не бросалось в глаза, даже черты лица у него были нейтральные. Если бы в «Маркс и Спенсер» продавались глаза, нос, рот и уши, то как раз такие, как у Джека.

Под эскалатором в универмаге «Бентлиз» Джек изучил план магазина и поднялся на второй этаж, в отдел вечерних нарядов. В отделе оказались и другие мужчины, невеселые и не в своей тарелке, они сидели в сторонке, на стульях. Один решал кроссворд в «Дейли телеграф». Когда Джек проходил, их взгляды скрестились, и мужчина отвел глаза, словно стыдясь. Джек начал копаться на полках, разыскивая платья 46-го размера. Найдя нужную полку, он быстро отобрал три платья и, потратив минуту, если не меньше, на их изучение, сделал окончательный выбор. Перекинув через руку красное с блестками платье с шифоновой каймой по подолу и вороту, Джек прошел в отдел повседневной женской одежды и сгреб там все платья 46-го размера. Джеку повезло: цыганщина была в моде – имелся почти неограниченный выбор броского и чувственного. Наконец он выбрал то, что не смотрелось бы вызывающе на кладбище, в автобусе или на прогулке по муниципальному парку. Черный цвет был смелым решением, но Джек подумал, что черное хорошо пойдет к новым светлым волосам премьер-министра.

В отсутствие Джека премьер-министр позвонил портье и спросил, нет ли в гостинице туалетной бумаги «Бронко».

– Вам придется обратиться к кастелянше, – ответил портье, уже всерьез подозревая, что его разыгрывают. Положив трубку, он огляделся, ища скрытые камеры, убежденный, что без своего ведома принимает участие в телепрограмме.

Когда Джек ввалился в номер с пакетами, премьер-министр едва сдержал волнение. На нем был белый махровый халат, который выдавался постояльцам гостиницы. Ламинированная карточка в кармане призывала гостей не воровать халаты, хотя и не в таких грубых выражениях: «Если Вы желаете приобрести этот халат, к счету будет добавлено 55 фунтов стерлингов плюс НДС».

Тело премьер-министра под халатом блестело. Он проигнорировал инструкцию в коробочке с кремом «Иммак», где советовали воздержаться от применения других средств для ухода за кожей сразу после использования депилятора. Возбужденный безволосостью собственного тела, премьер-министр перерыл всю корзину с дополнительными туалетными принадлежностями, которую нашел рядом с раковиной в ванной комнате, и натерся лосьоном, а затем еще чем-то под названием «увлажняющий протеиновый гель». Ухочистками он прочистил ноздри и уши, вылил на волосы содержимое бутылочки с кондиционером и надел шапочку для душа. Он даже залез в крошечный набор для шитья и подшил бретельки на бюстгальтере жены – возблагодарив учительницу средней школы, которая много лет назад научила его шить, – он подровнял ногти пилочкой и отполировал шлепанцы жены гостиничным обувным кремом. Закончив, он очень гладко выбрился, используя увеличительное зеркало, которое делало гигантским каждый волосок, пору и пятнышко на его лице. После чего премьер-министр не преминул тщательно изучить себя. Хороший ли он человек? Честен ли? Заслуживает ли доверия британского народа? Не ошибается ли президент Буш, называя его другом? Премьер-министр почти пал духом, исследуя себя в увеличительном зеркале. Как он ни скреб, долго и изо всех сил, щетина все равно проглядывала. Он понял, что чисто выбритой кожи просто не бывает.

Джек выложил содержимое пакетов на кровать премьер-министра. Украшения, то есть серьги, ожерелье и кольцо – всего на сумму 33,50 фунта, – дорого поблескивали под ночным светильником в изголовье.

Джек разулся, лег на кровать, подпер голову кулаком и приготовился наблюдать, как премьер-министр превращается в Эдвину Сент-Клэр, звезду сцены и экрана.

Однако премьер-министр застенчиво попросил:

– Нет, Джек, не смотрите.

Джек отвернулся и включил новости по Си-эн-эн. Безукоризненно накрашенная и причесанная американка рассказывала телезрителям, что «британский премьер-министр Эдвард Клэр проводит испытания центра управления государством на случай атомной войны. Источник, близкий к семье премьера, сообщил, что Адель Флорэ-Клэр, супруга премьер-министра, вне себя от ярости».

Джек повернулся проверить реакцию премьер-министра на тревожную новость, но тот исчез в ванной и затворил дверь. Джек выключил телевизор и прикрыл глаза.

Когда все мелкие поправки были сделаны, а прихорашивание закончено – все ремешки на туфлях на высоких каблуках несколько раз затянуты, грим нанесен, а парик зачесан в стиле Монро, – дверь ванной отворилась и премьер-министр сказал:

– Теперь можно посмотреть.

Увиденное очень встревожило Джека. В слабом свете гостиничного номера премьер-министр в красном платье с блестками выглядел очаровательно и очень походил на женщину мечты Джека.

– Господи, сэр, вы прекрасны, – прохрипел Джек.

Премьер-министр поупражнялся в ходьбе на каблуках, дефилируя между кроватями, пока Джек мылся, брился и менял рубашку. Потом они рука об руку спустились в ресторан гостиницы. Премьер-министр был слишком нарядно одет.

Когда они вошли, один официант сказал другому:

– Красивая женщина, жаль вот только грудь никакая.

За обедом говорили о делах государства. Премьер-министра поразило, как хорошо Джек разбирается в экономике и социальной политике.

За кошмарными спагетти с анчоусами, странным образом свитыми в веревку, Джек сказал, что, на его взгляд, повышение пенсий на семьдесят пенсов – просто оскорбление, и лучше бы уж просто ничего не прибавляли.

Премьер-министр решил тряхнуть стариной и заказал хаггис* с гарниром. Он объяснил Джеку, что в детстве, когда он жил в Эдинбурге, хаггис, картошечка и репка были его излюбленным лакомством, и порекомендовал Джеку взять то же. Однако месье Сури, шеф-повар, аранжировал скромное блюдо и соорудил из него подобие Эйфелевой башни, окруженной не подливкой, как надеялся Эдвард, а тепловатым озерцом отвара из ревеня.

– Боже, и как все это есть? – вопросил Джек. – Сверху вниз или снизу вверх?

Премьер-министр отгреб часть хаггиса от центра башни и посоветовал:

– Попробуйте средний путь, Джек.

За лимонным шербетом, испорченным горстью свежих мятных листьев и неспелой клубники, они обсудили вопросы увольнения полицейских в запас. Джек, разомлев от вина и воодушевленный обществом шикарной Эдвины Сент-Клэр, на миг потерял бдительность и признался, что его знакомый старший офицер недавно ушел в запас с сохранением зарплаты – из-за травмы, которую получил,

---

* Шотландское блюдо из бараньей или телячьей печени, сердца и легких, подается с картофелем.

наблюдая, как два пьяных дерутся у паба в пятницу вечером.

Когда подали жуткий кофе, оба уже от души смеялись. Премьер-министр заметил:

– Знаете, Джек, вам бы очень пошла какая-нибудь современная короткая прическа.

Джек тайком вздохнул. Он ненавидел, когда женщины пытались изменить его внешность.

Официант, обслуживавший их пусть и неумело, но от чистого сердца, подал счет со словами:

– На стоимость вашего обеда в моей стране можно купить ослика и тележку.

– Нахал, – сказал Джек.

Зато премьер-министр спросил, откуда официант родом.

– Из Албании, мисс. Я сюда езжу на заработки. Ни один шотландец не станет тут работать за такие деньги.

– А как вы попали в нашу страну? – заботливо спросил премьер-министр.

– Это не так уж и трудно, – пожал плечами официант, пока Джек подписывал чек. – Мужчины из нашей деревни традиционно въезжают в Великобританию, прячась в грузовике с репой. Большинство наших мужчин сейчас живут в Эдинбурге, в районе Колинтон. Женщины и дети приедут в следующем году.

– А почему мы завозим репу из Албании? – удивился премьер-министр.

– Это же натуральная репа для вашего среднего класса, – рассмеялся официант. – Она вся неправильной формы и червивая, потому что у нас нет денег на пестициды.

Позже, раздеваясь перед сном, оба обсуждали проблемы нелегальной иммиграции. Премьер-министр признал, что кадровый дефицит налицо, и поинтересовался мнением Джека: не начать ли вербовать из Албании курсантов для британской полиции?

Адель обшаривала шкафы в поисках брючного костюма от Николь Фари. Венди выдвигала ящики, разыскивая два кашемировых свитера.

– Вы отвечаете за мой гардероб, Венди, следовательно, отвечаете за пропажу моей одежды, – сказала Адель.

– Вы обвиняете меня в воровстве? – Венди устала и торопилась в больницу. Назавтра планировали отрезать ногу у Барри, и она хотела заверить его, что как только он очнется после операции, рядом обязательно будет кто-нибудь из группы самопомощи при ампутации и поможет ему пережить это тяжелое событие. – Если так, я увольняюсь. И вообще я не знаю, что я тут делаю. Меня не ценят. У меня слишком высокая квалификация – смею напомнить, у меня ученая степень по гастрономии.

– В каком-нибудь третьесортном заведении, о котором никто не слыхал! – крикнула Адель.

– Все слышали о Брэдфорде! – завопила Венди.

Обе женщины расплакались, а потом обнялись, утешая друг друга. Адель говорила:

– Простите, я просто дура. Вся моя одежда вам мала. Просто я рассудок теряю, потому что Эд так вот уехал, не попрощался. Мне даже позвонить ему некуда. Я же без него места себе не нахожу, Венди.

– Я знаю, что вы друг друга очень любите... – пробормотала Венди

– Любим? Что вы понимаете! – взвизгнула Адель. – Я без него жить не могу.

В возрасте одиннадцати лет Адель перевели из частной школы в интернат для одаренных детей, причем за счет местного отдела образования. Ее раннее развитие и радовало, и тревожило бабушку, которая с ней носилась как с инопланетной принцессой. Но в новой школе Адель оказалась просто еще одним умным ребенком, и вскоре она почувствовала, как превращается в обычную девочку, которая не слишком красива и не особо популярна среди остальных детей.

Эдвард был для Адель единственным другом. Иных у нее никогда не было. Ей казалось, что без Эда она разваливается, распадается на клетки. Адель рассматривала себя в зеркале шкафа и видела, что уже тает – разве что нос выглядел больше обычного.

«Ну и кто же тут умница?» – вопросил издевательский голос в голове.

Через два дня Адель прекратила принимать лекарство.

Глава восьмая

Джек предусмотрительно набил карманы гостиничными салфетками пастельных тонов, но вскоре понял, что следовало захватить коробку. Слезы из премьер-министра лились, как из прорванной плотины. Его плач был средиземноморским – громким, с открытым ртом. Другие посетители кладбища украдкой косились на них и спешили пройти мимо, к своим могилам. Звуки открытой скорби редко нарушали тишину на этом кладбище, осененном вековыми соснами.

Утром в цветочном магазине премьер-министр прослезился, когда продавщица спросила, кому он покупает цветы.

– Маме, – ответил он.

Продавщица высказала соображение, что пожилым дамам больше нравятся традиционные букеты, а не современная икебана из колючек.

– Моя мать не пожилая, ей всего тридцать семь, – возмутился премьер-министр.

Продавщица отпрянула, предоставив высокому молчаливому мужчине утешать странную блондинку, и принялась ворошить в оцинкованном ведре веточки вербы. Она привыкла к людским срывам и истерикам – иногда ей даже казалось, что на курсах декоративного цветоводства не мешает преподавать психологическую помощь. Цветочница потеряла счет бракам, которые спасла: она всегда уделяла особое внимание букетам, в которые вкладывала карточку с простым словом «извини». В магазине ей случалось и поплакать с людьми по их недавно усопшим. Детские букеты всегда были самым сложным делом – вовсе не просто правильно приделать глазки на венок в форме плюшевого мишки. А свадьбы! Сколько с ними хлопот! Как часто нынче невесты в последний момент идут на попятный. И она их не винит. Зачем молодой женщине на всю жизнь эта обуза – мужчина, – когда можно чуть ли не купить младенца из пробирки, если уж очень приспичит?

– Может, в таком случае, весенний букет? – спросила цветочница, заметив, что клиентка в солнечных очках нюхает полное ведерко синих гиацинтов.

Джек предположил, что хорошо бы добавить несколько прутиков вербы, и втроем они соорудили большой пахучий букет.

По могильным камням катался мужчина на газонокосилке. Джек подумал, не потому ли в здешних краях на могилах нет надгробий – проще ездить, – или таков местный обычай?

Длинная черная юбка премьер-министра развевалась на ветру, который дул с далекого моря.

– Я поступил в Амплфорт*, мама, – докладывал он над могилой. – Стал юристом, а теперь я пре-

* Частный католический колледж-интернат в районе Йорка.

мьер-министр. Так что спасибо за... так сказать, за хорошее начало. Я с радостью вспоминаю те годы, когда ты была моей мамой.

Мужчина на маленькой газонокосилке прибавил обороты двигателя, поглядывая на высокую траву вокруг могилы Хезер Клэр. Джек ласково увлек премьер-министра прочь – прежде чем тот опять заговорил с покойной матерью. Такое даже в кино и то неприятно наблюдать. Они зашагали слегка под уклон к выходу.

– Что ж, могилка в хорошем месте, сэр, – сказал Джек.

Они остановились у объявления «Жалобы и просьбы о содержании могил направлять непосредственно на сайт www.mortltd.co.uk».

– Папин прах развеяли в Горбалз*, – прошептал премьер-министр.

– А почему, сэр? – спросил Джек.

– Свое единственное завещание бедный папа написал, когда был коммунистом и рассчитывал умереть за правое дело. Деньги от продажи его недвижимости получила Компартия Великобритании, всех это шокировало, потому что на момент смерти он был председателем Ассоциации консерваторов Беркшира. Надо было ему обновить завещание.

– Или принципы, – заметил Джек.

– Принципы? – Премьер-министр повторил слово так, будто никогда прежде не слышал.

– Меня несколько смущает, как можно вот так полностью изменить своим принципам, вот и все,

* Трущобы в Глазго.

сэр, – сообщил Джек. – Полагаю, он и либералом побывал?

– Он переехал на запад страны, – словно оправдываясь, ответил премьер-министр. – Либеральная партия обеспечила ему хорошую социальную жизнь.

– А не было ли пары лет с социал-демократами? – напирал Джек. Для него было загадкой, как человек может так запросто менять взгляды.

– Папа поддался ненадолго чарам Ширли Уильямс*, – согласился премьер-министр.

Низко же должен пасть мужчина, чтобы его загипнотизировала Ширли Уильямс, подумал Джек.

– Значит, принципы – штука временная, да, сэр?

– Послушайте, Джек, ведь принципы не накормят, не приютят, не оденут и не обучат, – сказал премьер-министр.

Это была их первая ссора. На заднем сиденье такси каждый втайне думал о спутнике. И некоторые мысли не отличались доброжелательностью.

У агентов Кларка и Палмера не было друг от друга секретов – что толку? Секретов больше не бывает. Агент Кларк любил гулять по Южным Холмам, в выходные уезжал за город, никому не сказав, куда едет, и бродил по холмам, наедине со своими мыслями. Иногда он распевал гимны, которые помнил со школы. Он держался подальше от оживленных троп, избегал других гуляющих и наслаждался чувством, что он – невидимое пятнышко в пейзаже.

* Лидер либеральных демократов, ранее председатель Социал-демократической партии Великобритании.

Однажды утром в понедельник он пришел на работу и рассказал агенту Палмеру, что накануне прошел по Южным Холмам.

– Знаю, – сказал Палмер. – Надел новые ботинки, но последние несколько сот метров до Гузхил-Кэмпа со стороны Стоутонского холма дались тебе тяжело.

Агент Кларк спросил:

– А ты где был?

Агент Палмер ответил:

– Здесь, в офисе.

Коллега Кларку нравился – он его даже немного любил, – но было ужасно неприятно, что Палмер вторгается в его личную жизнь, и он заставил его пообещать, что больше тот не будет следить за ним. Палмер обещал, но Кларк не был уверен, что Палмер устоит перед соблазном.

Рассматривая премьер-министра в зеркало, таксист спросил:

– Простите, мадам, не сердитесь на мой вопрос, только с чего бы это на вас солнечные очки в такую погоду? Я же вижу, что вы не слепая. У вас что-то с глазами? А может, вы стараетесь выглядеть загадочно? Или пытаетесь скрыть дефект внешности, или еще чего?

Премьер-министр растерянно захлопал слипшимися от слез ресницами. За него ответил Джек:

– Слушай, приятель, просто заткнись на хрен и веди машину.

Остаток дороги в аэропорт прошел в полной тишине.

Перед терминалом Эдинбургского аэропорта собралась разгневанная толпа. Авиадиспетчеры в Суонвике начали забастовку, потому что их лидер заявил: «Мы не в силах гарантировать безопасность самолетов в британском воздушном пространстве. С последнего сбоя нашего компьютера прошло только сорок восемь часов, и мы едва нагнали отставание».

В час тридцать пополудни, когда собирались приземлиться или взлететь девяносто семь самолетов, компьютерная система пришла в исступление и стала показывать старую серию «Звездных войн».

Захваченный духом приключений, премьер-министр предложил сесть на первый попавшийся самолет внутренних линий Великобритании. В кафетерии кончились припасы, поэтому премьер-министр встал в очередь к автомату с прохладительными напитками. Женщина средних лет впереди него зло сказала, ни к кому конкретно не обращаясь:

– Из-за этой истории с Суонвиком у меня сгорел экспортный контракт на полмиллиона фунтов!

Премьер-министр, всегда следивший за балансом платежей, спросил у женщины, в каком она бизнесе.

– Я поставляю гамбургеры с хаггисом в отели на Коста-дель-Соль, – ответила та. – По крайней мере, пытаюсь, – добавила она с горечью. – Нашему чертову правительству все до лампочки.

– Что вы, это неправда, – возразил премьер-министр. – Нам очень даже не все равно!

Шаркая ногами, очередь едва двигалась. Мужчина свирепо колотил по франшизной машине безалкогольных напитков. Он нечаянно опустил евро, и машина в знак протеста придерживала банку «Фанты».

Несколько раз злобно пнув автомат, мужчина ушел искать кого-нибудь, кто ответит за ущерб.

Джек стоял в очереди за газетами, чтобы купить номер «Эдинбургских вечерних новостей». Его внимание привлек заголовок: «Жена премьера утверждает: бородавка – святыня».

У кассового аппарата происходила перепалка. У Джека было время прочесть всю первую полосу.

Сегодня утром в потрясающем интервью программе «Сегодня» на Радио-4 супруга премьер-министра Адель Флорэ-Клэр сказала Джону Хамфризу, что человеческая жизнь священна, а поскольку бородавки растут на человеческом теле, их также надлежит считать священными и потому хоронить с заботой и уважением, сжигать же их в больничных печах – «очевидная ошибка». Пораженный Хамфриз спросил: «А как же мозоли? Тоже священны?» На что миссис Флорэ-Клэр ответила: «Очевидно». Представитель Ассоциации мастеров педикюра позже сказал: «Если устраивать похороны каждой удаленной мозоли, наши затраты взлетят до небес и мы будем вынуждены переложить их на плечи наших клиентов, многие из которых – пенсионеры».

Под портретом Адель Флорэ-Клэр, где она выглядела одновременно бестолковой и сумасшедшей, Джек прочел: «См. страницу 3». Джек посмотрел. Там была еще одна фотография Адель, на сей раз с сэром Полом Маккартни. Статья продолжалась:

Сегодня представитель правительства заявил: «Миссис Флорэ-Клэр выражает свое личное мнение, правительство же не планирует узаконивать погребение частей тела». Канцелярия Архиепископа Кентерберийского сделала краткое заявление: «Архиепископ Кентерберийский не дает комментариев по религиозным вопросам». Модный лондонский мастер педикюра Питер Боурон обратился к нескольким таблоидам с предложением опубликовать его историю в обмен на шестизначную сумму.

Джек и премьер-министр достоялись в своих очередях приблизительно одновременно, причем с равно неудовлетворительным результатом. Компьютеризованная касса отказалась брать наличные и требовала только кредитную карту «Суитч». Джек протянул карту и спросил продавщицу:

– Не много ли хлопот из-за какой-то газеты?

Та ответила:

– Это ваши проблемы, а мне не нравится деньги руками брать, никогда не знаешь, где они побывали.

Автомат безалкогольных напитков вел себя как деспот в стране третьего мира: одним оказывал милости, другим отказывал. Премьер-министр счел, что это несправедливо, ведь он аккуратно опустил необходимую сумму. Выбрав напиток, он нажал нужную кнопку, но из зева автомата в лоток из нержавейки ничего не выкатилось.

Премьер-министр нарыдался до конвульсий на могиле матери и сейчас чувствовал себя обезвоженным как сухофрукт. Нужно было срочно утолить жажду. Он уже несколько часов не пил. Он нажал кнопку возврата монет, но аппарат не собирался выпускать добычу из своего загадочного нутра. И тут удача: с непреклонным видом и большой связкой ключей к агрегату подошел человек в комбинезоне с вышитым логотипом компании безалкогольных напитков.

Премьер-министр сделал шаг назад, чтобы человек открыл аппарат, а потом попросил у него банку оранжада без сахара. Человек в комбинезоне произнес заученным тоном:

– Если вы хотите приобрести банку оранжада, мадам, надо опустить в аппарат шестьдесят пенсов.

– Я опустила, – запротестовал премьер-министр.

– Почему я вам должен верить, мадам?

– Потому что я вам это говорю, – сказал премьер и улыбнулся человеку в комбинезоне, который ответил ничего не выражающим взглядом.

Такие стычки у человека в комбинезоне случались по несколько раз на дню, а в его краткосрочном контракте указывалось, что возвращать покупателям деньги запрещено. На однодневных курсах подготовки учили, что покупатели – сплошь вруны и жулье и за банку халявного оранжада детей своих готовы продать.

– Напишите по адресу, указанному на аппарате, – сказал человек в комбинезоне.

– Что, искать ручку, бумагу, конверт, стоять на почте за маркой и писать – и все это ради шестидесяти пенсов?

– Вы не поверите, сколько крохоборов так и делают, – ответил человек в комбинезоне, пополняя аппарат свежей партией емкостей с содовой, вкусовыми добавками, подсластителями и красителями.

– Они не крохоборы, а люди, которых обманула ваша компания.

– Эти аппараты принадлежат не моей компании, – торжествующе объявил человек в комбинезоне, – а арендатору.

– А кто арендатор? – вопросил премьер-министр.

– Откуда я знаю? – Человек в комбинезоне развернулся, явно закончив разговор.

Джек и премьер-министр оставили хаос аэропорта и двинулись к длинной очереди на стоянке такси. Они собрались на автовокзал, но, прождав полтора часа в очереди, Джек сказал премьер-министру:

– Давайте пешком.

– Я же на каблуках, – взмолился премьер-министр.

– Только до шоссе, – подбодрил Джек.

Сначала они пытались голосовать вдвоем, но никто не останавливался. Стоять на поросшей травой обочине было неловко и страшновато: мимо, шумя резиной, проносились грузовики, норовя засосать путников под колеса.

Джек решил, что в одиночку у премьер-министра в прикиде Мэрилин Монро больше шансов. Издалека премьер и вправду смотрелся достаточно аппетитно, чтобы заинтересовать дальнобойщика.

Джек присел на корточки за белым кустом боярышника и через несколько минут услышал вой гидравлических тормозов и грубый голос, перекрывший дорожный шум. Джек вскочил на ноги и едва успел вскарабкаться в кабину трейлера.

Лицо водителя помрачнело: блондинистая бабенка, издалека выглядевшая свежей и симпатичной, на деле оказалась залежалым товаром, да еще и этот хрен при ней.

Крэйг Бланделл хотел было вышвырнуть обоих, но его автомагнитола последней модели застряла на Радио-3, и он со злости вырубил ее пару миль назад, до смерти замученный виолончельными сюитами Баха. Теперь хоть есть с кем поболтать, по крайней мере не заснешь за рулем, да и как знать, может, в темноте-то белочка и сойдет.

Сначала заговорили о футболе. Белочка, похоже, знала больше, чем этот пришибленный чувак рядом с ней, хотя у нее явно что-то с головой, раз вступилась за правительство насчет скандала с ремонтом стадиона «Уэмбли».

Крэйг сообщил, что сначала заедет в Лидс сбросить груз.

– Нам в самый раз, – сказал белочкин приятель.

– А что вы везете? – поинтересовалась белочка.

Крэйгу почему-то захотелось сказать белочке правду, что у него под брезентом в кузове четырнадцать афганцев едут искать политического убежища. Он надеялся, что афганцы в порядке. Когда он их забирал из дока в Перте, вид у них был не очень. Троих афганцев сородичи перетащили в грузовик на руках. Ему было почти жалко бедолаг; если верить старпому того траулера, переход вышел особенно тяжелый.

Иногда, слыша, как они лопочут по-своему, Крэйг задумывался, о чем это они и кто такие. Он выходил из себя, когда читал в газетах, что он, Крэйг, наживается на чужой беде. Он же им услугу оказывает! Англия, без натяжки, лучшая страна в мире. Ну ладно, цены на горючку тут бешеные, просто бешеные, но он на своем грузовике даже до России доехал и мог по личному опыту сказать, что вся эта болтовня о Европе – чистый бред. Он по себе знал, что французская кухня – дрянь, а шведки все фригидные. И еще знал, что рискует малость, только что еще делать-то? Такие, как он, владелец и водила в одном лице, живут сегодняшним днем, он постоянно ищет груз, а иной раз сутками торчит на складах где-нибудь в Европе. Его добивает, если приходится возвращаться в Великобританию порожняком. В месяц нужно делать чистой прибыли самое малое тысяч десять: закладная на дом, выплаты за грузовик и за «мерс» для Мишель, плата за обучение Эмили и Джейсона, отпуск в Канкуне*, у Мишель прически по сотне... Иногда его все это доставало, и тогда задавал себе вопрос, а зачем это вообще надо? С Мишель и детьми он почти не виделся, а когда виделся, ему было неловко за себя – и говорит не то, и ест не так. Как там это Эдвард Клэр сказал? «Теперь все – средний класс». Но Крэйг знал, что ему до среднего класса ох как далеко.

Крэйг посмотрел премьер-министру в глаза – риск, потому что в тот момент они обгоняли бензовоз, – и ответил:

– Везу листовую сталь из Польши в Абердин, а еще в Перте забрал груз запальников, в Лидсе скину.

– Как-то глупо, что все время туда-сюда все возят, – заметил премьер.

– Называется – «глобализация», – встрял Джек.

Премьер-министр вдруг вспомнил детский стишок Джона Мэйсфилда под названием «Грузовой рейс»:

Просоленный британский кораблик с чумазой трубой
По Ла-Маншу шлепает через ненастный март,
Он везет английский уголь, чугун и рельсы,
Дрова, латунный и скобяной товар.

* Курорт в Мексике.

– Наша страна стала великой державой благодаря торговле, – произнес он.

– Ну, я бы иначе сказал, сэр, – ляпнул Джек, на миг забыв, что обращается к даме. Он покосился на Крэйга, но тот говорил по мобильному телефону с кем-то по имени Мишель. – Я бы сказал, – продолжил Джек, – что богатыми, но не великими, нас сделала эксплуатация.

– Какая же, на ваш взгляд, нам нужна экономическая система? – раздраженно спросил премьер-министр.

– Попроще, – ответил Джек.

– По-вашему, надо, чтобы мы себе сами пряли одежду и выращивали еду, так? И плясали народные танцы вокруг майского шеста, да? А если заболеем, шли в лес за природными лекарствами, верно?

– Вы вот не пляшете вокруг майского шеста, а все равно сторонник среднего пути, – буркнул Джек.

Это была их вторая ссора.

На другом конце Крэйгова телефона Мишель сказала:

– Ты же говоришь, у тебя радио сломалось.

– Сломалось, – ответил Крэйг.

– Но я же слышу там у тебя голос премьер-министра.

Крэйг засмеялся. Окажись этот тупица Эдвард Клэр в его кабине, он бы вправил ему мозги – для начала, за бешеные цены на горючку.

До окраины Лидса они добрались уже затемно; моросило. Крэйг притормозил на площадке у двухполосного шоссе и сказал:

– Пожалуй, пора белочке заплатить за подвоз.

Премьер-министр поплотнее обернул юбку вокруг бедер и придвинулся поближе к Джеку.

– Можно и втроем, если в этом дело, – ухмыльнулся Крэйг, видя, что Джек не выходит из кабины.

Джек был оскорблен: неужели он похож на мужчину, который позволит своей женщине оказывать сексуальные услуги за несколько литров дизельного топлива? Он помог премьер-министру выйти из кабины со словами:

– Спасибо, Крэйг, премного благодарны... Кстати, кто-то, кажется, подкрутил вам тахометр, наверное, когда вы отвернулись.

Крэйг вышвырнул им вслед вещи и захлопнул дверь кабины. Потом посидел пару минут, позвонил Мишель и сообщил, что доберется до дома к трем утра, самое позднее, и надеется, что она к нему будет добра, когда он к ней приляжет. Мишель ответила, что весь вечер провела в тренажерном зале и выдохлась совершенно, так что лучше пусть он будет добр и даст ей выспаться.

Крэйг уронил голову на руль. Никто его не любит, и сейчас не радовала даже мысль о деньгах, которые он получит за доставленный груз.

Под покровом безлунной ночи четырнадцать афганцев выползли из дыры в тенте кузова и расселись за дачными столиками, расставленными Йоркширским муниципальным советом для отдыха путешественников. Их лидер, в прежней жизни хирург-отоларинголог, велел группе соблюдать тишину, пока шаги мужчины и блондинки не затихнут вдали.

Джек не помнил, чтобы когда-нибудь так уставал. Он предложил прилечь на траву и отдохнуть, но премьер-министр признался, что у него небольшая фобия на насекомых, и они побрели по шоссе А64 в сторону Лидса.

В отдалении полыхал костер. Подойдя поближе, они увидели, что горит автомобиль. Языки пламени были ярко-красные, ослепительно-оранжевые, небесно-голубые и желтые, как рассветное солнце. У места аварии стояли три полицейских автомобиля. Полицейские возбужденно обсуждали автомобильную погоню, предшествовавшую аварии и пожару.

На заднем сиденье одной из полицейских машин сидел бледный парнишка. Джек с премьер-министром подошли поближе и заметили, как полицейский, сидящий на переднем сиденье, передает парню зажженную сигарету.

Когда Джек и премьер-министр приблизились, молодой констебль обернулся и обратился к ним:

– Пожалуйста, проходите, не задерживайтесь.

Джек подумал: вот интересно, почему полицейские всегда так говорят? Ведь они никому не мешают и как налогоплательщики имеют полное право наблюдать за наведением правопорядка. Он не двинулся с места, но премьер-министр чуть-чуть отступил – подальше от жара полыхающего автомобиля.

Юный констебль холодно и вежливо сказал:

– Проходите, сэр, иначе я оштрафую вас за то, что вы создаете помехи.

– Но я не создаю никаких помех, – возразил Джек.

– Там, где вы стоите, может остановиться пожарная машина.

– Тогда я и отойду, правда? Не идиот же я, черт возьми.

– Оставьте, Джек, пойдемте, – подал голос премьер-министр.

Джек не шелохнулся. Ему не нравилось, что этот полицейский щенок обращается с ним так, словно гражданские – главные враги полиции.

В организме молодого полицейского все еще гулял избыток адреналина. Это была его первая автомобильная погоня, и ему не терпелось вернуться к товарищам, которые с удовольствием проводили неформальный допрос. Еще не хватало, чтобы какой-то штатский хлыщ качал тут права.

– Ваша фамилия? – потребовал он. – И почему вы здесь в такое позднее время?

– Джек, бросьте, не стоит, – взмолился премьер-министр, как девушка, которая хочет предотвратить драку.

– Я не согласен с вашим предположением, что я каким-либо образом нарушаю закон. Я иду по общественному шоссе с моим компаньоном.

Терпение у молодого полицейского лопнуло.

– Вы, штатское лицо, ротозействуете и мешаете работать на месте преступления, и если вы сейчас же...

К ним вперевалку подошел толстый сержант, похожий на полицейского с приморской открытки Дональда Макгилла*.

– В чем дело, Даррен?

– Он отказывается отвечать на вопросы, сэр.

---

* Фирма, с начала 1900-х издающая открытки с карикатурами и комиксами.

Звук сирены сообщил, что пожарная команда на подходе.

– Как вас зовут, сэр? – спросил толстый сержант.

– Меня зовут Джек Шпрот, – ответил Джек.

Улыбка сошла с толстого лица сержанта.

– Не пытайтесь меня разыгрывать. Как вас зовут?

– Меня зовут Джек Шпрот, – повторил Джек, который имел при себе подтверждающий документ. Он почти сочувствовал сержанту: раньше, когда он сам патрулировал улицы, то частенько спрашивал подозрительных типов, как их зовут, а те отвечали, что Энгельберт Хампердинк или Бен Кросби.

Джек достал бумажник и предъявил сержанту читательский билет из библиотеки.

Сержант повертел его в пухлых руках, вернул Джеку и сказал:

– Ладно, теперь проходите, я вас не держу.

Но Джек все еще злился на полицейских. Он же ничего не сделал, только замедлил шаг, чтобы посмотреть на горящий автомобиль. Кем бы он был, если бы прошел, не оглянувшись?

Премьер-министра взбесило упрямство Джека, он больше ни секунды не мог видеть этого ослиного лица, поэтому переключил внимание на беседу остальных полисменов. Средних лет полицейский с бородкой по уставу бубнил:

– Через два года у меня будет больная спина, потому что я поврежу ее на работе, тогда получу компенсацию и пенсию, так что мы с женой откроем бар на Коста-дель-Зло.

Премьер-министр был заинтригован. Откуда констебль знает, что через два года сорвет спину на работе?

Другой полицейский подхватил:

– А я сделаю себе спину в следующем году, если меня снимут с машины. Хрен я им стану улицы топтать.

Когда подкатили пожарные, все отошли в сторонку, освобождая место для маневра. Премьер-министра взволновали сверкание хрома и мужественный вид пожарников в комбинезонах. Неужели теперь в пожарники берут за внешность? Требуется ли, чтобы кроме отсутствия боязни высоты пожарник был красив и статен? Премьер-министр торопливо подкрасил губы и пальцами взбил светлые кудри, после чего отступил в тень, памятуя, что опять лезет эта чертова щетина.

Тем временем Джек ввязался с сержантом в спор о «Законе о правах человека», над которым сам еще недавно подтрунивал, но который теперь казался ему чрезвычайно важным. Однако, когда пожарники заплевали огонь ошметками пены, желание спорить испарилось и он отошел к премьер-министру.

Они пустились в долгий поход до Лидса.

Через какое-то время они оказались в середине муниципальной застройки в городе-призраке. Все окна на улицах были заколочены, многие дома выгорели. К одному зданию с заколоченными окнами подъехало такси, из него выскочили две коротко стриженные девочки-подростка в мешковатых джинсах и шмыгнули в металлическую дверь.

Джек кинулся к такси. Водитель сидел, закрытый с трех сторон клеткой из стальной сетки. Звали его Али. Он обрадовался, когда Джек попросил отвезти их с подругой в хорошую гостиницу в центре Лидса.

– Я вас отвезу в лучший отель Лидса, иннит, – с энтузиазмом сказал Али. – Там в номерах антиквариат, а в ванной музыка и телефон, и даже дают котов, чтобы гладить и чувствовать себя уютно, как дома. Там восемьдесят каналов телевидения и бесплатный лаймовый и апельсиновый сок.

Они ехали мимо развалин. На развязке премьер-министр заметил, как странно, что муниципальные рабочие при деле в такую рань. Крепкие мужики снимали с мостовой плиты и грузили их в белый фургон.

– Да это же ворюги! – крикнул Али. – Мостовую тырят, иннит.

– Йоркский камень, – объяснил Джек. – В Лондоне одна плита идет по пятьдесят фунтов.

Премьер-министр вспомнил, что Дэвид Самуэльсон недавно заплатил семь тысяч фунтов за дворик из йоркских плит, которые ему поставил «подрядчик» из Лидса.

– Этот район Гамптон называется, – принялся рассказывать Али.– Сюда в темное время мало какой таксист поедет, народ тут дикий. Варвары.

Над головой вдруг загрохотало, и салон залил яркий свет.

– Полицейский вертолет! – с восторгом крикнул Али, словно весенним деньком услыхал первую кукушку.

Вертолет завис над ними на пару минут, но когда они свернули к центру города, улетел на восток. Из рации протрещал усталый голос:

– Прием, Али, прием, Али, прием. Ты где, Али?

– Еду домой отсыпаться, шеф, уже в двух шагах.

Премьер-министр неодобрительно поджал губы: в действительности они подъехали к отелю «Водопад» – перестроенному складу, вытянувшемуся вдоль канала. Джек наказал Али, чтобы тот забрал их из отеля в десять ноль-ноль. Шагая по мокрым булыжникам к подъезду, Джек с премьер-министром слышали рев плотины, в честь которой назвали гостиницу. Ночной портье по имени Норман впустил их и зажег в конторке футуристического вида газовый камин.

Джек направился к стойке, а премьер-министр цапнул красное яблоко из пирамиды на стеклянном блюде. Норман нахмурился: постояльцы «Водопада» прекрасно знали, что яблочная башня – это произведение искусства, и надо быть последним болваном, чтобы взять и съесть яблоко.

Пока Джек заполнял регистрационный бланк – мистер Джек Шпрот и миссис Э. Сент-Клэр, – Норман прошел за стойку и подогрел в микроволновке два бокала пряного вина. Оно было настолько горячее, просто невозможно пить, поэтому, пока вино остывало, Джеку и премьер-министру пришлось беседовать с Норманом. Тот похвастал, какие знаменитые и важные люди останавливались в «Водопаде». Он назвал актрису из «Улицы Коронации», которую Джек не знал. Актриса потребовала крекер «Мамина гордость» и бутерброд с сыром в четыре утра. Норман постучал пальцем по носу и сказал:

– Не спрашивайте, как мне это удалось, но в четыре двадцать пять она ела свой бутерброд.

Джек оборвал Нормана в середине истории о сэре Клиффе Ричарде и банке крема для лица «Кларин».

Премьер-министр так устал, что залез в постель, не смыв макияж. Он сказал:

– Я знаю, что я неряха, Джек, но утром обещаю отчистить, увлажнить и затонировать лицо сверхтщательно.

Они лежали на двуспальной кровати и обсуждали реформу полиции. Джек предложил платить пешим патрульным больше, чем их коллегам в патрульных автомобилях. Премьер-министр сонно пообещал переговорить с министром внутренних дел Джоном Хеем, когда вернется в Номер Десять.

Глава девятая

Норма пережигала на сковородке бекон. Так им с Джеймсом нравилось. Джеймс рассказал ей, каким бледным и водянистым был бекон в детском доме, как не прожаривали жир, а корочка была жесткая, просто не проглотить. Поэтому сейчас тесную кухню наполнял запах горелого жира и хрустящего бекона.

Газетой «Сан»* Джеймс отмахивал дым от клетки Питера. Заголовок гласил: «Адель: мозольщик все открыл». Джеймс рассказывал Норме, как его сексуально эксплуатировал человек, который теперь в палате лордов.

– Однажды на Рождество он мне купил кожаную куртку, а на следующее – синтезатор «Ямаха». Но уроки музыки мне никто не оплатил, поэтому я обменял «Ямаху» на гоночный велосипед, а его через неделю украли у крыльца социальной службы.

Все истории Джеймса были унылые, если слушать внимательно и не замечать ерничества, которое из них сочилось.

* Бульварная газета.

Обугленной деревянной лопаточкой Норма сняла со сковородки бекон и положила разваливающиеся кусочки на белый пышный хлеб. Затем ровно и аккуратно полила все это соусом «Эйч-Пи»*. Пришлепнув сверху еще одним ломтиком хлеба, Норма разрезала сандвичи по диагонали. Джеймс решил, что это просто класс, и сказал Норме, что она просто классная, как раз такой она себя сегодня и чувствовала.

Утром Норма порылась в гардеробе и вытащила одежду, которую хранила до лучших времен. Она надела бирюзовый костюм, в котором была на злосчастной свадьбе Стюарта с этой тощей Карен, с которой он вскоре развелся. Даже в своих дурацких плоских туфельках из белого атласа Карен торчала над всеми каланчой, охранники из отдела регистраций и то оказались ниже. Стюарт напихал в новые ботинки газет, тщетно пытаясь сгладить разницу в росте, но некоторые гости все равно хихикали. Джек приехал на торжество из Лондона и привез с собой симпатичную молодую женщину среднего роста по имени Силия. Когда стало ясно, что ссора с брачным регистратором затягивается, Джек утащил Силию, даже не попрощавшись с Нормой, которая была в самой гуще скандала. Джек ждал повышения в особом отделе и не желал объясняться с лестерской полицией, когда та примчится разнимать потеху.

На шоссе М1, по дороге в Лондон, Силия, клинический психиатр, высказала соображение, что Стюарт,

* На этикетке изображено здание Парламента, House of Parliament.

тип явно агрессивный, женился на Карен, потому что насмешки над ней – идеальный повод для драк.

Джеймс быстро завел привычку читать вслух статьи из «Сан». Сама Норма читать ленилась, но истории любила всегда.

Вот что узнал наш штатный корреспондент Дэвид Грабб от мастера педикюра Питера Боурона.

«Впервые я принял миссис Флорэ-Клэр в мае 1997 года. Ко мне всегда большая очередь, но она через одного из моих знаменитых клиентов попросила меня заняться ее ногами. По-моему, ей меня посоветовала Лулу на благотворительном обеде в пользу людей с ограниченным ростом.

Сказать по правде, ноги у нее были в жутком состоянии: мозоли, отвердения кожи, наросты, а также налицо ранние признаки синдрома молоткообразного пальца. Она над ними просто издевалась все шесть предвыборных недель.

В первое посещение она весь час проработала на своем ноутбуке, но в последующие визиты мы беседовали о том о сем. Однажды мой партнер, Грегори, сказал: "Твои беседы с женой премьер-министра имеют историческую важность, их надо записывать". Поэтому исключительно в интересах исторической науки я стал записывать наши разговоры с миссис Флорэ-Клэр. О записывающем устройстве она не знала. Если бы знала, наверное, расстроилась бы, а стресс вреден для ног, я же, как квалифицированный и дипломированный мастер педикюра, главным своим приоритетом считаю здоровье ног моих клиентов».

– Я тоже на педикюр записалась, – сообщила Норма. – Но пока очередь подойдет, все пятки потрескаются, я и в туфли не влезу.

Питер радостно раскачивался на своих качелях, глядя, как Норма с Джеймсом уплетают сандвичи с беконом.

– Тебе ведь нравится твоя клеточка, Питер? – спросила Норма. – Уютно, правда?

Накануне к Норме приходила сердитая дама из организации «Месть жертв», Марджори Мэйкисон, и предложила свои услуги в качестве адвоката по делу о травме в результате избиения. Норма провела женщину в кухню и объяснила, что она уже оправляется после шока и что Джеймс, ее новый жилец, нашел того парня, что ее избил, и крепко его отмочалил, – правда, деньги и другую собственность вернуть не сумел.

Марджори пришла в ужас.

– Я совершенно не одобряю подобный самосуд, миссис Шпрот, – заявила она.

– А у нас тут завсегда самосуд, – ответила Норма. – Людям ноги ломали, ежели у соседей воруют или там старика обидят или ребенка.

Несколько мгновений Норма наслаждалась своим моральным превосходством. Она вспомнила совет Тревора своим юным пасынкам: «Не срите на своей лужайке, парни, и ни за что не воруйте у бедных. Езжайте в пригород, отирайтесь там, покуда не увидите, как какая-нибудь счастливая семья в полном составе куда-нибудь уматывает – на пикник там, в спортзал, сами знаете. У средних классов взять вовсе не грех – у них все застраховано, так что и для экономики сплошная польза».

Марджори изучила клетку Питера. Она не только защищала жертвы преступности, но также являлась активисткой защиты прав животных и была уверена, что животные права Питера попираются. Его клетка явно меньше, чем требует письменная инструкция в предлагаемом «Законопроекте о правах животных», а кроме того, по закону Питер имеет право жить в паре.

Марджори разъяснила закон «О благосостоянии животных», который помнила наизусть:

– Согласно положениям закона, миссис Шпрот, ваш попугайчик имеет право на большой вольер, где может пребывать в обществе других попугайчиков в стимулирующей среде с игрушками и ветками.

– А Питер доволен своей клеткой, и ему нравится быть единственной птицей, – возразила Норма.

– Все равно, – сказала Марджори, – закон есть закон.

Адель стряхнула крошки круассана со своего свитера от Жозефа, взяла Венди за руку и заговорила в утешающе-евангелической манере:

– Венди, нога Барри является... вернее, являлась... его значительной частью, ее нельзя просто выбросить, как какую-нибудь баранью ляжку.

– Кто же баранью ляжку выбрасывает? – сердито фыркнула Венди. – Ее варят и едят.

– Черт побери, до чего же вы педантичны, Венди! – воскликнула Адель. – Это одно из ваших наименее привлекательных качеств. В общем, я поговорила с одним приятелем, он кардинал, и он согласился руководить церемонией погребения ноги Барри. Все пройдет тихо, по-семейному, – ну и я там буду, конечно. В церкви Кенсал-Райз как раз выкроили время... Соглашайтесь, и я запущу все дело. Только для гроба мне нужна мерка ноги Барри.

– А разве не Барри решать? – спросила Венди.

– Разумеется, ему решать, – согласилась Адель. – И он полностью солидарен со мной. Я с ним сегодня утром побеседовала.

– Так ведь он от морфия одурел. У него глубокая психологическая травма.

– Да, и это замечательный способ залечить ее. Он может присутствовать на похоронах одной из важных частей своего тела. Он может рассказать всем, что нога для него значила, поделиться воспоминаниями о ней. Нельзя лишать его этой возможности, Венди.

Венди спросила себя, причем не впервые, кто тут сумасшедший – Адель или она сама? Глупо ли противиться погребению правой ноги сына? Адель чрезвычайно умна, и, что еще важнее, она оригинальный мыслитель и выдающийся теолог-любитель.

– Я бы хотела подождать, пока вернется ваш муж, и мы с ним это обсудим, – сказала Венди.

Лицо Адель померкло: прошлой ночью голоса сообщили ей, что Эд уже никогда не вернется.

В комнату ввалился Александр Макферсон и бухнул на кофейный столик перед Адель огромную кипу газет. Кроме «Католического вестника», остальные газеты посвятили первые полосы рассказу о бородавках Адель.

– Видели это? – Он едва сдерживал ярость.

Адель нарушила священное правило. Она явилась в программу «Сегодня» и дала интервью Джону Хамфризу, не предупредив пресс-службу. Это все равно как если бы христианин, собираясь выйти на арену Колизея, полную голодных львов, надеялся остаться в живых.

Адель пришла в восторг от того, что оказалась в передовицах национальной прессы. И она гордилась контекстом. Она ратовала за неприкосновенность жизни и восславила святость тела обычных мужчин и женщин.

– Адель устроила, чтобы ногу Барри отпел кардинал в церкви Кенсал-Райз, – сообщила Венди.

Она должна была рассказать об этом кому-то, кто обеими ногами стоит на земле, пускай даже этот кто-то – интриган и наглец, зато точно в своем уме.

Адель взяла «Индепендент» и прочла первый абзац передовицы. Александр и Венди обменялись взглядами, и Александр приставил палец к виску и покрутил его в международном жесте.

– Адель, – сказал он, – кто ваш врач?

Глава десятая

Джек сидел в кресле восемнадцатого века и смотрел в окно на неподвижную серую воду канала. У его ног лежал черный деревянный кот. Ночью он несколько раз о него споткнулся. Джек старался держать себя в руках, но премьер-министр собирался уже больше часа. Джек гадал, что еще тот придумает. Ведь есть же предел всем этим ухищрениям, сколько можно намазывать косметику, прихорашиваться и поправлять прическу перед зеркалом.

Пока они спали, под дверь просунули бесплатный номер «Дейли телеграф». Джек с тревогой прочел заголовок: «Жена премьера вовлечена в фундаменталистский конфликт», но, когда показал его премьер-министру, Эдвард лишь отмахнулся:

– Замечательно, что Адель открыла дебаты по столь важному теологическому вопросу, – и ушел в ванную подкрасить ресницы.

Муниципальный район Гамптон находился в тихой долине, со всех сторон отрезанной шестирядными автострадами. С внешним миром район связывало несколько длинных пешеходных мостов и туннелей. Один местный житель написал в газету «Йоркшир пост»: «Теперь я знаю, каково быть хомяком».

Среди населения этой во многом забытой зоны ходило поверье, что в Гамптоне погода всегда хуже – облака ниже, а ветер холодней, чем в остальных частях Лидса. Поверье не подтверждалось метеорологической статистикой, но упорно передавалось из уст в уста, усугубляя чувство загнанности жителей района: их словно сослали сюда или подвергли общественному наказанию. Некоторые молодые обитатели Гамптона, побывавшие в тюрьме, говорили, что уж лучше тюрьма, чем Гамптон, – в тюрьме хоть есть чем заняться.

Глядя на этот жилой массив, можно было поддаться впечатлению, будто он изолирован и от остальной Великобритании, и от какой-либо формы правления. Гамптон походил на забытую цивилизацию. Иногда из внешнего мира заглядывали путешественники – социальные работники, учителя и чиновники, – но они торопились выполнить свою работу и уехать до темноты. Прежде чем спуститься с холма в Гамптон, Али бормотал молитву, прося у Аллаха защиты. По пути он рассказал пассажирам – неулыбчивому мужчине и красивой блондинке, – что ни при каких обстоятельствах не оставит здесь такси без присмотра. Взрослые мужчины племени Гамптон своей культурой запрограммированы угонять любой транспорт. Недавно двенадцатилетние мальчишки угнали полицейский «лендровер» и носились на нем по району под одобрительные возгласы и поздравления большинства населения.

Для начала Али проехал по Гамптону и показал главные его достопримечательности. Налицо были все стереотипы крайней бедности. Премьер-министр ерзал на сиденье, проезжая мимо заколоченных домов и тропинок, которые раньше были дорогами. Некогда он посетил трущобы Рио-де-Жанейро, где люди существовали на пособие, но там хоть царила атмосфера жизни, даже радости. А тут никаких признаков, что в жизни обитателей Гамптона есть хоть намек на радость.

Али припарковал машину рядом с пустырем, заросшим грязью и травой, который некогда, возможно, был парком. Ветровое стекло заливал дождь, и Али включил «дворники». Они наблюдали, как к дому напротив подъехал пикап, из кабины вылезли двое мужчин весьма хилого сложения, оба в трико и кроссовках, и принялись распутывать веревку, которой к пикапу был привязан старый двуспальный матрас. Дождь перешел в ливень, волосы у неатлетичных обитателей Гамптона прилипли к черепу. С их губ срывались неприличные и злые слова, они торопились отвязать матрас и затащить в дом, пока он не размок под дождем. Джек, Али и премьер-министр наблюдали за этой гонкой, словно за диковинным соревнованием.

Дверь дома открыла высокая квадратная женщина с руками штангиста; за ее гамаши цеплялся голозадый малыш в футболке с Человеком-пауком и с бутылочкой во рту. Казалось, женщина выкриками подбадривает мужчин, но, когда Али опустил стекло, стало слышно, как она орет:

– Шевелись, жирняи!

Один из мужчин зарычал в ответ:

– Нужен тебе матрас или нет, Тойота?

Мужчины закинули матрас на головы и слепо заковыляли по дорожке к двери. Полуголый малыш радостно кинулся им навстречу. Тойота перехватила его и сгребла за шиворот. Малыш заверещал, выгнув спину, а Тойота принялась шлепать его по ногам и голой попке. Ребенок судорожно вдохнул и задержал дыхание. Реакции маленького тела на какое-то время замедлились.

Трое в такси ждали, пока малыш снова начнет дышать. Губы премьер-министра тряслись:

– Это же подлинное варварство, Джек, вы должны что-нибудь предпринять!

Сильная рука Тойоты подняла ребенка еще выше, и его лицо оказалось вровень с ее лицом; теперь она шлепала малыша в синкопированном ритме. Слова, которые она адресовала ребенку, выполняли роль прерывистого контрапункта:

– Сколь – ко – раз – го – во – рить – на – хер – си – ди – до – ма – Туш – ин – га!

– Туш-ин-га? – вопросил премьер-министр, побледневший даже сквозь слои «Макс Фактора».

– Тушинга, – согласился Али. – Африканское имя.

Джеку подумалось, что только самые богатые и самые бедные дают детям такие вычурные имена.

Худосочные типы нетерпеливо топтались под зонтиком из матраса, ожидая, пока экзекуция завершится. Но вот в детских легких скопилось достаточно воздуха, чтобы заорать. Жуткий вопль выдернул премьер-министра из машины и погнал к дому. Он обогнул матрас и встал напротив женщины. Тушинга все висел в воздухе, а на его бледной гладкой коже расцветали красные лепестки от шлепков.

– Пожалуйста! Сейчас же прекратите!

– А это еще что за херня? – спросила Тойота, тяжело отдуваясь. Бить малышей не так уж и легко, как кажется.

– Я социальный работник, – соврал премьер-министр.

– Только не мой социальный работник, – отрезала Тойота.

Один из хлипких вежливо крикнул:

– А может, мы все-таки занесем этот долбаный матрас в дом, слышь, а?

Премьер-министр, Тойота и младенец посторонились, мужчины протиснулись в дверь и исчезли в доме.

Премьер-министр подобрал бутылочку малыша, которая была наполовину заполнена кока-колой, и отдал ребенку со словами:

– На, Тушинга, не плачь. Мама тебя больше не будет шлепать.

– Я ему на хрен башку снесу, если не будет делать что велено, – рявкнула Тойота. – Пускай учится.

– Разве он научится, если его бить? – спросил премьер-министр.

– Меня так учили, – рассудительно ответила Тойота.

– Привет, Тушинга. – Премьер-министр взял ребенка за подбородок, но тот отвернулся и уткнулся в шею матери. Его всхлипы уже стихали. Мать бережно убрала волосы с его мокрого лица и стала нежно целовать руки в ямочках.

– Так ты, значит, вместо Энди? – спросила Тойота.

Премьер-министр продолжил врать:

– Да, у Энди нервный срыв, я его заменяю. – Он знал, что социальные кадры в дефиците из-за стресса и низкой оплаты.

– В общем-то, меня это не удивляет, в последний раз, как я его видела, он был прям на взводе. – Тойота жестом пригласила премьер-министра: – Давай-ка лучше заходи на чай. – Она с подозрением оглянулась на такси и пробормотала: – Ясное дело, почему в муниципальном детсаду мест нету, эти социальные коровы весь хренов бюджет на такси прокатывают.

Прежде чем последовать в дом за Тойотой, премьер-министр умоляюще посмотрел на Джека. Тот махнул рукой и устроился на заднем сиденье почитать «Дейли телеграф». Али потянул рычаг под продавленным водительским сиденьем, и спинка откинулась. Уснул Али почти мгновенно. День складывался прекрасно – на счетчике уже 39,40, а утро еще только начинается.

Тушинга на протертом ковре играл с пустой коробкой от видеокассеты и вешалками для одежды, под присмотром Тойоты и премьер-министра. Главное место в гостиной занимал большой плоскоэкранный телевизор на стойке из дымчатого стекла. Шла передача о дикой природе, стая шакалов рвала на части зебру. В комнате еще имелся мягкий гарнитур из трех предметов – диван и кресла, обтянутые черным кожзаменителем, – а на стене над газовым камином висела бледная увеличенная фотография новорожденного Тушинги.

В комнате выкурили десятки тысяч сигарет – потолок и стены приобрели модный светло-никотиновый оттенок.

Премьер-министр вспомнил об интерьере собственной гостиной. Адель в компании дорогого дизайнера по интерьерам несколько дней агонизировала над образцами цветовых гамм. Дизайнер брал пятьсот фунтов в час и дополнительную плату за нанесение нескольких слоев краски марки «Сердитый верблюд».

Премьер вынул из сумочки блокнотик и написал несколько слов. Тойота неосмотрительно проговорилась о махинациях с пособием, и премьер-министр, делая записи, воображал, как предъявит их палате и заставит замолчать однопартийцев, критикующих предложенные меры по борьбе с жульничеством в сфере социальных пособий.

Тойота закурила сигарету «Беркли» и вежливо предложила премьер-министру. Тот поднял руку в знак отказа:

– Нет, спасибо, я никогда не курила.

– Никогда? – поразилась Тойота. – Откуда же ты знаешь, что тебе не понравится, если даже не пробовала?

«Жирняи» топтались в дверях, дымили и смотрели телевизор. Их так и не представили.

– Попробуй давай, – настаивала Тойота. – Мне маманя первый раз дала затянуться в одиннадцать лет.

Один из «жирняев» сказал:

– Ладно, мы пошли, Той. Ну, где твоя десятка-то?

– У меня в кошельке шаром покати. Можешь проверить, если хочешь.

Выяснилось, что Тойота за пять фунтов купила у пожилого родственника одного из «жирняев» матрас, а еще пять фунтов стоила доставка. Ее собственный матрас, который теперь валяется в огороде, безнадежно пострадал, когда Тушинга дорвался до зажигалки. Тойота посмотрела на премьер-министра и сказала:

– Вот потому и надо с ним построже. Не хочу, чтоб вырос хулиганом.

– Ты должна нам пятерку за бензин, – сказал второй мужчина. – В баке-то ни капли.

Тойота взорвалась:

– Вы же не говорили, что платить в тот же день! Подождете, пока пособие получу.

– У меня бак пустой на хер, и у нас обоих ни шиша, а нам через полчаса еще заказ.

– А вы-то чего без бабок? – вопросила Тойота.

– Пришлось расколоться на аванс за леса, мы их с утра собирали,– ответил тот.

– Позвони Дереку, может, одолжит мне пятерку, – сказала Тойота.

Один из мужчин достал из кармана мобильник, нажал несколько кнопок и проговорил:

– Тойоте нужна десятка за матрас и бензин. – Он подождал секунду, хмыкнул. – Говорит, тебе не прет, ты ему еще за детскую коляску должна.

Тойота завопила:

– Да у нее колеса на хер отвалились прям перед универмагом, Тушинга прям на тротуар свалился! Я, блин, шесть часов в долбаном травмпункте потом отсидела!

Заметки у премьер-министра начали путаться. Он уже написал: «Матрас, зажигалка, жирняи – платят ли они НДС?»

Один из мужиков сказал напарнику:

– Слышь, позвони Джону-паралитику, может, даст мне слить из своей инвалидки, а то заказ на хрен сгорит!

Джону-паралитику позвонили, тот сказал, что сейчас на почте получает пособие по инвалидности, как закончит – заедет.

Внезапно погас свет – телевизор с громким щелчком выключился.

– Ну вот, теперь карточка на электричество нужна, – вздохнула Тойота.

Увидев озадаченное лицо премьер-министра, она объяснила, что с точки зрения электросети она является кредитным риском, поэтому ей поставили счетчик. Но так как счетчик, полный серебряных монеток, – большое искушение для молодежи, мечтающей о кроссовках «Найк» и кокаине, то надо покупать и вставлять в счетчик специальную пластиковую карточку. Карточки продаются в разных магазинах, на автозаправках, в полицейском участке и даже в гараже пожарной части.

Один из «жирняев», похоже, что-то придумал.

– Позвони-ка Счастливчику Полу, пускай смотается на заправку, прихватит карту на электричество и бензина литров пять. Ему там в кредит дают.

Связались со Счастливчиком Полом, но тот сказал, что на заправке больше в кредит не дают, потому что старого начальника уволили за торговлю левой порнушкой, а новый – «гнилой козел из Манчестера».

Комната погрузилась в угрюмую тишину, пока трое нищих размышляли над своими сиюминутными финансовыми проблемами.

– Если бы я могла помочь, – заговорил премьер-министр.

– Да ладно, чего там, – отмахнулась Тойота. – Я знаю, вам запрещено деньги раздавать.

Без искусственного света в комнате было очень темно.

– У меня скоро курево кончится. – Вид у Тойоты стал по-настоящему испуганный.

– Если пропустим заказ, – вздохнул один из мужчин, – нам не заплатят, тогда не сможем расплатиться за эти сраные леса, а тогда теряем и тот заказ и так далее.

Премьер-министр вспомнил стишок, который ему читал отец, что-то о том, как не хватило гвоздя и проиграли сражение.

Тойота на секунду вдохновилась:

– Слушай, ведь Чахлый Тони на прошлой неделе получил пенсию за стаж на асбесте?

– Ага, только он в воскресенье выхаркал легкие и прямо в «скорой» откинулся.

Тойота снова взбеленилась:

– А мне чего не сказали? Я ему за покупками бегала и чипсы забирала, когда портились.

У нее хлынули слезы, и несколько минут она шумно рыдала под нервными взглядами мужчин. Никто не подошел ее утешить. Премьер-министр чувствовал ком в груди; в ушах звенело; а в левой руке что это – неужели болит? Он откинулся на спинку черного кресла и постарался контролировать дыхание. Десятифунтовая проблема казалась неразрешимой. Он меньше беспокоился из-за миллиардов, которые Британия должна Всемирному банку.

Джек с большим интересом читал стенограмму беседы Адель с мастером педикюра Питером Буроном:

ПБ. На пятке огрубелый участок... Ну да, у Грэма Нортона такие изящные ножки, как же он ими занимается!
АФК. Я пыталась привести к вам Эдди. У него ноги... в общем, неприятные.
ПБ. Дурно пахнут?
АФК. И потеют.
ПБ. Да, я видел его по ящику. Цифровая техника, ничего не утаишь. Он потел, в общем, обильно.
АФК. Это от волнения. Снаружи он невозмутимый, а внутри, Пит, просто хаос.

Следующие минута и пять секунд разговора заглушены звуком пескоструйного очистителя для ног.

ПБ. Ну вот, теперь все гладенько.
АФК. Чудесно.
ПБ. Я вам скажу, у кого великолепные ноги: у Роя Хэттерсли. Он приходил только раз, врастание ногтя, но его ног я не забуду. Такие прямые и стройные. Дивный подъем, сказочные ногти. Он мог бы стать моделью с такими ногами.
АФК. Но ведь он предатель, Пит.
ПБ. Возможно, зато ноги просто чудо. Хотите мятный массаж?
АФК. Да, Пит, пожалуйста... А правда ли, что вы обслуживаете Бэкхема и Викторию? Ходят слухи...
ПБ. Мне нельзя говорить о Бэкхеме и его жене, Адель. В моем контракте пункт о конфиденциальности.

АФК. Ну мне-то вы можете сказать. Я умею хранить тайны. Эд мне все говорит. Ему запрещено, но он же должен с кем-то разговаривать. Возьмите оборонный план Буша «Звездные войны». Эд думает, что Буш просто рехнулся, но...
ПБ. Вам массаж на половину или на всю ногу?
АФК. На всю. У меня два часа до Дворца.
ПБ. А королева – какая она?
АФК. Королева? Боже, ей бы выступать за Англию в конкурсе зануд. Одни собаки, лошади и почтовые марки. С ней говорить – как вброд болото переходить, она даже не слыхала о Виттгенштейне. Странно, ведь она же нацистка! (*смех*)

Джек сложил газету и посмотрел на дом. В окно выглядывал Тушинга. Джек вылез из машины и по дорожке направился к двери. Через секунду он уже сунул десятку одному из носильщиков матраса.

Али отвез премьер-министра, Джека, Тойоту и Тушингу в универсальный торговый центр. Магазин располагался в приземистом убогом здании из красного кирпича, с узорами колючей проволоки поверху – там, где стены смыкаются с крышей.

Охранник в форменной одежде указал им место для парковки. По соседству находился досуговый центр Гамптона, соединенный с парковкой крытой пешеходной дорожкой. Семья из четырех человек направлялась к бассейну, неся под мышкой полотенца, похожие на гигантские рулеты. Судя по акценту, они были не из Гамптона.

Тойота без умолку тараторила все десять минут езды до торгового центра, где Джек собирался купить ей электричества, чтобы хватило на три дня, если она будет экономна и не забудет выключать радиатор в спальне. Хотя как ей, на хрен, просушить этот матрас, она не знает. Она пошла было учиться на сиделку. Ей и правда нравятся старики, им ведь есть о чем порассказать, не то что молодняку. За Тушингой присматривала ее маманя, но теперь он ей не по силам, он же все бегает, а мамане за ним не поспеть, у нее колено больное. А социальный детсад переполнен, так что кому-то, может, позарез нужна сиделка, а Тойота работать не может. А частный детсад стоит больше сотни в неделю, вот и пришлось остаться на пособии и еле сводить концы с концами, на хрен, и покупать себе и Тушинге одежду из магазина «Рак».

Вчера Тушингу в гости пригласили, а он пойти не смог, потому что нет денег на открытку и подарок. А ему ботинки нужны. Настоящие, ведь теперь он вон как ходит, а ей хочется, чтобы первые ботинки у него были новые, а не сраный секонд-хенд.

В школе ей хорошо давалась география. Она сделала доклад по Африке. Каждую страну обозначила своим цветом, фломастером. Вот бы съездить туда, посмотреть, как звери на воле бегают.

Она изо всех сил старается растянуть деньги на неделю. Прячет их от себя в разные банки и коробки, а фунтовые монеты кладет в яичную скорлупу, но вы же знаете, почем сейчас подгузники? Пришлось живо приучать Тушингу ходить на горшок. Энди, ее бывший социальный работник, сказал, что Тушинга слишком маленький и не может контролировать мочевой пузырь и кишечник, ага, зато соображает, когда этот сраный фургон с мороженым у крыльца свою песенку поет! Просто ему лень на горшок ходить.

Энди сказал, что ей надо бросить курить, так она уже и так урезала до пяти сигарет в день, и вообще он сам курит, так что чья бы корова мычала.

Она никуда не выходит, а ведь ей только девятнадцать. Папа Тушинги видел его только раз, в больнице, на второй день после рождения. Заявился с дружками и принес здоровенного плюшевого мишку, которого его мамаша выиграла в лотерею, так что это все одно не подарок. Иногда присылает деньги через Джона-паралитика, но ведь даже не вспомнил про первый день рождения собственного сына. Ну да, она, конечно, девушка крупная и совсем не красотка, только некоторые мужики не возражают. Характер у нее отличный, и про африканскую природу она знает ну просто все. Раньше брала книжки про животных из библиотеки, которая была в районе. Там все было так здорово, тихо, пахло лаком, и такие высокие изогнутые окна. А теперь там склад ковров, а новая библиотека – это просто комната в торговом центре, и как ни придешь, постоянно закрыто.

Она не знает, что по-африкански значит «Тушинга», но выяснит, не сомневайтесь.

Пока Тойота покупала карточку на электричество, Джек с премьер-министром читали объявления в вестибюле. Плакат извещал, что Гамптонский клуб молодежи работает по четвергам с семи до девяти в актовом зале, который, очевидно, вмещает также Ассоциацию пенсионеров – любителей лото и дошкольную группу (свободных мест нет).

Джек сказал:

– Во время войны на каждом углу были ясли, чтобы женщины могли работать.

Премьер-министр раздраженно ответил:

– Приняты бесчисленные меры, Джек, чтобы помочь одиноким родителям вернуться на работу.

Наверху, за дверью с кодовым замком, работники местного совета, социальные служащие, кураторы условно осужденных и участковый полисмен проводили совещание с Гамптонской жилищной комиссией. Они приняли решение о выделении гранта, на который, если его не разворуют, закупят новый теннисный стол, четыре ракетки и набор шариков – в качестве меры по борьбе с вандализмом и угоном машин в районе.

Джек с премьер-министром подвезли Тойоту домой. Джек сам донес Тушингу до двери. Ему нравилось, как детские ручонки обнимают его шею. Он дал Тойоте двадцатифунтовую бумажку и сказал:

– Как хочешь, так и трать, милая.

Когда они вернулись в машину, он свирепо посмотрел на премьер-министра:

– Пятнадцать минут первого, среда, и почему же «библиотека закрыта»?

Премьер-министр ничего не ответил, но ощутил неясный стыд. В груди у него опять сперло, а в пальцах левой руки закололи иголки и булавки, но он смолчал. Вряд ли это сердечный приступ – он абсолютно здоров, играет в теннис и дважды в неделю занимается любовью. Сердце должно быть в хорошей форме. Он взял газету Джека и пробежал передовицу. Ну и что с того, что Адель назвали Королевой нацистов? Она же яркая личность и имеет право на собственное мнение. Он глубоко верил в Алекса Макферсона – тот будет работать на износ, но сведет к минимуму ущерб для правительства.

Премьер-министр откинулся на сиденье и пристегнулся ремнем безопасности. Неприятные мысли он отодвинул на задворки сознания. Еще целых три дня отпуска.

– Что дальше, шеф? – спросил Али.

Джек поинтересовался у премьер-министра, что бы Эдвина теперь хотела увидеть.

– Церковь здесь есть? – спросил премьер-министр.

Глава одиннадцатая

Церковь Св. Луки оказалась огромным зданием, зажатым между эконом-магазином «Низкие цены» и вереницей заколоченных магазинов. Оконные витражи защищали решетки, а крыша блестела защитной смазкой от вандалов. По грязной площадке у церковного крыльца были разбросаны конфетти. Из здания доносилась музыка «В лучах заката алый парус».

Джек и премьер-министр пробрались через грязь и мусор, вываленный из перевернутого бака на колесиках, и отыскали вход в церковный зал. Маленькая пристройка к церкви походила на укрепленный форт: решетки, шипы, колючая проволока. Дверь была заперта, поэтому они заглянули в окно сквозь прутья решетки и увидели, как старухи и несколько стариков танцуют вальс. На всех были блестящие бальные туфли. Женщины в красивых платьях, мужчины в костюмах с галстуками. Их нормальная повседневная обувь выстроилась у дальней стены.

Джек вдруг с удивлением обнаружил, что глаза у него на мокром месте, хотя песня «В лучах заката алый парус» ему никогда особенно не нравилась.

Из дверей церковного зала на улицу вышел молодой негр в темном костюме с пристегнутым стоячим воротничком. Увидев Джека и премьер-министра, он спросил с сильным африканским акцентом:

– Вы на танцы?

– Да, – ответил премьер-министр.

Внезапно ему захотелось кружиться и лететь в такт музыке, прочь от грязи, металла и холодного ветра.

Викарий представился. Его звали Джейкоб Мутумбо, и он приехал из Претории миссионером, помочь беднякам района Гамптон. В церкви Св. Луки он всего шесть месяцев, но уже немало успел: организовал танцклуб для пенсионеров, потому что танцы лечат душу, а как ни жаль, и, пожалуйста, не обижайтесь, но души жителей района Гамптон изувечены, и им требуется лечение.

Под латиноамериканские ритмы Эдмундо Росса Джек подхватил премьер-министра и увлек в зал. Оба уже много лет не танцевали румбу, но двигались слаженно, и Джек почти сожалел, когда вмешался старик с одышкой, Эрни Нейпир, и умыкнул премьер-министра в дальний угол.

Джек сел перевести дыхание и увидел, как несколько старых дам одарили премьер-министра ядовитыми взглядами, пока тот искусительно качал бедрами под страстный ритм «Гуантанамеры».

Джейкоб Мутумбо объявил белый танец, и Джека пригласила на квик-степ пожилая дама в красных сверкающих бальных туфлях и с плохо подогнанной искусственной челюстью. Пока они порхали по залу, она рассказала Джеку, что в детстве пожертвовала пенни из карманных денег, чтобы снарядить миссионера в Африку.

– А теперь они нам самим нужны, – сказала она.

Эрни Нейпир выделывался перед премьер-министром, исполняя па и повороты, один за другим исчезавшие из его танцевального репертуара по мере того, как на него наваливались возраст и артрит. Теперь же, вдохновленный относительной молодостью и смазливостью премьер-министра, он вспомнил все, и премьер-министр, не до конца освоивший все женские тяготы, едва поспевал за ним на высоких каблуках.

В перерыве Джейкоб, собрав тесный кружок, говорил о Боге. В его устах Бог казался добродушным папашей, который пытается не дать своей шестимиллиардной семье свернуть с прямого пути.

Пока Джейкоб проповедовал, Эрни Нейпир положил руку на бедро премьер-министру и просипел:

– Может, мне и семьдесят девять, но я еще могу.

Премьер-министр убрал его руку и ответил:

– Вы замечательно танцуете.

Эрни приник влажными губами к уху премьер-министра и тяжело задышал:

– При чем тут танцы? Я еще могу ЭТО.

От мысли о половом сношении с задыхающимся слюнявым Эрни Нейпиром у премьер-министра стиснуло грудь, ладони его вспотели. Он подал Джеку знак, что желает уйти, но когда поднялся со стула, в глазах у него поплыло, и он медленно осел на пол.

Пенсионеры сгрудились вокруг, усугубляя его удушье запахами старой одежды и нафталина. Он никак не мог набрать в легкие воздуха, в груди разливалась тупая боль, и премьер-министр ощутил прилив паники. Ему явилось видение королевы с гитлеровскими усиками. «Я умираю», – подумал он и закрыл глаза.

«Скорая» приехала гораздо позже положенного времени, санитары оправдывались, виня в задержке противоугонные баррикады и свою компьютеризованную регистратуру.

Джек положил премьер-министра в восстановительную позу. С чуть выдвинутым вперед бедром и рукой над головой тот словно позировал для фото на обложку приличного журнала «Ридерз уайвз».

Когда «скорая» уехала, Эрни Нейпир расплакался и признался викарию, что в коллапсе своей партнерши по танцам виноват он.

– Я заговорил о сексе, – рыдал он.

Джейкоб утешил Эрни, разъяснив, что и Бог радуется сексу, так что не стоит себя казнить. Переобуваясь, Эрни задумался, с кем же Бог занимается сексом. Этот вопрос не давал ему заснуть почти всю ночь.

Джек обещал звонить Александру Макферсону только по вопросам жизни и смерти, и теперь, следуя в такси Али за «скорой», увозящей бессознательного премьер-министра в больницу, он решил, что ситуация чрезвычайная. Он набрал условленный номер.

– Макферсон слушает.

– Это Джек. Эдвина в «скорой», его... ее везут в больницу.

– Мать его так! Что с ним... с ней?

– Санитары говорят, у него... у нее сердечный приступ.

– Он... она жадно глотает воздух, потеет, боль в груди и левой руке, колики, слабость, высокое кровяное давление?

– Да, – ответил Джек.

– Джек, у него гипервентиляция. Обычное дело. Последний случай был в прошлом месяце, когда он выступал в конгрессе США. Его проверил кардиолог Буша. Как огурчик. Чем он занимался перед...

– Танцевал румбу с пенсионером по имени Эрни. – Джек не удержался и добавил: – Он... она сейчас копия Мэрилин Монро.

Наградой ему был редкий звук – Александр Макферсон захохотал.

– Мы уже почти в отделении Скорой помощи. Я перезвоню попозже?

– Конечно, держите меня в курсе. – И Александр довольно удачно изобразил хрипловатый голос Мэрилин Монро: – Ууу шуби ду...

Теперь настала очередь Джека смеяться. Али изумленно обернулся. Если бы это его мадам сейчас везли в больницу на «скорой» с этой кислородной ерундой, он бы не смеялся, он бы в штаны наделал, и уже сзывал бы всю родню в больницу, и молился бы, да, иннит! Иногда он думал, а может, англичане не так всё чувствуют, как другие люди? Его дети родились в Англии, и он заметил, что когда у них кролик простудился и умер, они чуть поплакали, а потом вообще об этом Флопси ни разу не вспомнили.

Джек заплатил по счетчику плюс двадцать процентов чаевых. И посоветовал Али починить правую тормозную колодку.

Али написал на обороте квитанции свой номер телефона и сказал Джеку, что всегда рад ему в своем доме и познакомит его со своей мадам и детьми.

Прежде чем Джек выбрался из такси, Али сказал:

– Аллах позаботится о вашей мадам, иннит, хоть она и не мусульманка.

Джек поблагодарил его и вылез из машины.

Премьер-министр лежал на жесткой тесной кушетке в кузове «скорой» и слушал, как санитары и какой-то невидимый мужчина препираются насчет тележки. Время от времени некто, пропахший табаком и лосьоном после бритья, склонялся над ним и бормотал:

– Дышите глубже, Эдвина.

Премьер-министру нравились запах кислорода и ощущение маски на лице. До чего чудесно, когда тобой так командуют и велят не двигаться. Его одолела дивная истома, и он заснул, сознавая, что, с учетом его статуса пациента, он по крайней мере на двадцать четыре часа избавлен от обязанности выражать мнение, принимать решения и делать заявления о чем бы то ни было.

Джек с удивлением обнаружил, что премьер-министр все еще лежит в машине, – он ожидал, что того унесут куда-нибудь в приемный покой, где им займутся врачи. Ему объяснили, что нет свободной тележки и поэтому пациенту лучше побыть там, где она сейчас.

Джек отметил, что пол Эдвины под сомнением, и не удивился. Под прозрачной пластиковой маской отчетливо виднелась щетина, помада стерлась, а ноги без высоких каблуков выглядели решительно мужскими, в особенности волосатые большие пальцы.

– А нельзя ли вызвать доктора сюда? – спросил Джек.

Ему ответили, что один доктор занят в реанимации мотоциклистом, а в травматологии неистовствует мужчина, у которого труба пылесоса засосала пенис, – врач сказал, что они обязаны известить его жену как ближайшего родственника.

– Значит, во всем отделении затор, что ли? – уточнил Джек.

Он оставил машину «скорой помощи» и отправился искать тележку. Протиснувшись через несколько двустворчатых дверей, Джек оказался в другом мире – приемном покое отделения травматологии.

Это была большая, освещенная флуоресцентными лампами комната без окон, через нее проходили люди с повышенным травматизмом, неуклюжие, невезучие и невинные. Они несли в эту комнату свои переломы, ожоги, разрывы, растяжения, порезы, тупую боль, запоры, рвоту, жар, кровотечение, припадки, передозировку наркотиков и апатичных младенцев. Они падали с лестниц и крыш, пили отбеливатель или виски или ничего не пили. Они опрокидывали себе на ноги кипяток, наступали на разбитые бутылки или спотыкались о кубики «Лего» и падали со ступенек. У них была повреждена спина, они забывали принимать противозачаточные таблетки, а их дети глотали разные мелкие предметы. Их посылали сюда участковые врачи и телефонные службы помощи, и никто сюда не рвался, кроме страдающих синдромом Мюнхгаузена.

Дверные петли издавали агонизирующий скрип, от которого у Джека зубы сводило.

В большой стеклянной кабинке с табличкой «Регистратура» сидели три женщины в серой униформе. Перед каждым окошком стояла короткая очередь. На дальней двери висела табличка «Санитардиагност». Ряды молчащих людей сидели, ждали и слушали конфиденциальную информацию, которая разносилась по селектору, соединявшему регистратуру с приемным покоем.

Выжидая случая попросить тележку, Джек разбирал каракули на белой доске, накорябанные чем-то вроде черного мелка.

Добро пожаловать в отделение травматологии.

Время ожидания:
Дети – 2 часа.
Мелкие травмы – 2 часа.
Серьезные травмы – 2 часа.

Джек почувствовал себя оскорбленным – не самим объявлением, хотя оно и вселяло тревогу, а тем, как оно написано. Никто не ожидает, что больница наймет каллиграфа, хотя и ему тут работы наверняка хватило бы, но все-таки, если объявлениям уделять чуть больше времени и внимания, это убедило бы пациентов и сопровождающих, что и во всей больнице такой же высокий уровень обслуживания.

Полная женщина у окошка называла свое имя и дату рождения: «Эмили Фарнэм, четвертого – пятого – пятьдесят третьего». То и дело как привидение выл селектор, и люди в приемном покое затыкали уши, спасаясь от шума.

– Я с лошади упала... Надо было отпустить поводья, но... Кажется, лодыжка сломана...

– Присядьте, санитар-диагност примет вас, как только освободится.

Эмили оглянулась в поисках стула и запрыгала к нему на одной ноге – ей никто не помог.

Перед Джеком стоял мужчина с поднятой рукой. Рука была замотана в белую наволочку, через ткань сочилась кровь. Мужчина находился в шоковом состоянии и силился вспомнить свое имя и дату рождения.

– Есть с вами кто-нибудь? – крикнула регистраторша. Качество связи было ужасное, и вопрос пришлось повторить трижды, прежде чем мужчина понял.

– Жена, она машину паркует.

Джек оглянулся – ведь должен же кто-нибудь подойти и помочь бедолаге? К окошечку протиснулась пожилая женщина.

– У меня в машине отец, он упал и разбил голову. Он хроник, ему восемьдесят, диабетик. Мне его не дотащить.

– Вы что, не видите, я занимаюсь этим пациентом! – рявкнула регистраторша.

– Но ему восемьдесят. У него диабет. Он головой ударился.

– Придется вам самой его вытащить из автомобиля, – отрезала регистраторша.

– Но он большой. Мне его не поднять.

– «Скорую» надо было вызывать.

Тут женщина взорвалась:

– Я пять с половиной часов «скорую» ждала! – Она повернулась к мужчине с окровавленной наволочкой: – Я оставила двигатель включенным, а машину припарковала на служебной стоянке.

Тот ответил:

– У меня отрезан конец пальца. Я его принес с собой. Он в пластиковом пакетике у меня в кармане.

Джек был не из слабаков, но его шатало под весом старшины запаса Филипа Даути, пока он волок старика из маленького «фиата» в приемный покой. Он пристроил мистера Даути на пять пластиковых стульчиков, потому что больше положить его было некуда. Дочь старика стащила с себя куртку и соорудила из нее подушку.

Джек со злостью толкнул дверь с надписью «Не входить» и оказался в коридоре, уставленном с обеих сторон тележками, на которых лежали больные. Одни были под капельницами, другие с кардиомониторами.

Молодой человек в кожанке мотоциклиста лежал бледный и неподвижный, голова его находилась между двумя фиксирующими блоками. В ногах у него валялся красный шлем. Старая и совершенно седая женщина окликнула Джека:

– Сынок, помоги, они моей смерти хотят!

Джек рыскал по коридорам в поисках санитарной тележки или свободной палаты. Наконец он набрел на дверь с надписью «Ночная диагностика» и, не зная, что еще предпринять, обратился за помощью к милой девушке, которая, похоже, заведовала отделением. В кабинете заходились два телефона, каждый на свой манер. Девушка разъяснила Джеку, что день спокойный, и выразила уверенность, что с минуты на минуту одна из тележек освободится.

Джек продолжил рыскать по коридорам. Увидев пустой кабинет, он зашел и схватил кипу бумаг. Он знал, что можно пройти куда угодно, если делать вид, что знаешь, куда идти, а в руках у тебя кипа бумажек. Он снял пиджак, закатал рукава и теперь мог спокойно расхаживать где вздумается.

В пустом рентген-кабинете он обнаружил две тележки и одежду санитара и все это изъял. Теперь

Джек стал доктором Джеком Шпротом, и через несколько минут премьер-министр и старшина запаса Даути лежали в коридоре в ожидании квалифицированной врачебной помощи.

Премьер-министр был в беспамятстве, его мучили странные сны. Королева произносила речь в Нюрнберге, шеренги золотоволосых юношей, удивительно похожих на принца Филипа в молодости, скандировали «Мой фюрер!». Внезапно премьер очнулся, хватая ртом воздух, и Джеку не сразу удалось его успокоить и заверить, что он не умирает и что скоро его осмотрит врач.

Сгустились сумерки, и с приходом ночи отношения между друзьями и близкими пациентов стали почти братскими. Беда пробудила в них навыки первой помощи, о которых они и не подозревали. В полночь друзья мотоциклиста сгоняли за несколькими коробками пиццы «Домино», которой угостили тех, кто мог есть. Премьер-министру достался тонкий прожаренный ломтик пиццы «Наполи». Кусочек пепперони вывалился у него изо рта и упал на подушечку датчика, следившего за работой сердца.

Джек смахнул крошки и вытер подбородок премьер-министра салфеткой, которую ему дала женщина, упавшая с лошади. Потом он вынул из сумочки премьер-министра помаду и предложил подкрасить губы.

Доктора Сингха, в отличие от его коллег, появление мужчины в блондинистом парике и женском нижнем белье не удивило. Он был родом из Раджастана и бывал в Пушкаре, где пользовалась популярностью танцевальная труппа красивых и элегантных трансвеститов, – мужская толпа, глядя на них, ревела от восторга. Доктор Сингх не сомневался, что у бедняги, у которого уже пробилась здоровенная щетина, а белый парик постоянно съезжал вправо, все в порядке с сердцем, но все равно с сожалением забрал у него кардиомонитор и отдал другому пациенту, больному ангиной старику, которому прибор, пожалуй, нужнее.

Мужчина, называвший себя Эдвиной, хотел помешать санитарке снять резиновые подушечки-присоски, он впал в истерику и кричал, что всю жизнь платит взносы в государственный фонд здравоохранения и имеет право пользоваться личным кардиомонитором дольше, чем несчастные десять минут. Ведь он премьер-министр, и если он умрет, в больнице об этом пожалеют, потому что министр финансов Малкольм Блэк убежден, что государственной службе здравоохранения выделяется средств больше чем достаточно, просто они не умеют ими распорядиться. Доктор Сингх улыбнулся бедняге – у того определенно острый невроз на почве страха. Он решил оставить пациента на ночь, а утром показать психиатру.

Глава двенадцатая

В три утра премьер-министра поместили в наблюдательную палату «Беван». Джек помог усталому младшему врачу заполнить анкету, а потом устроился в кресле присмотреть за премьер-министром, который то проваливался в сон, то приходил в себя. Бедлам в палате был не достаточный, чтобы продавать билеты экскурсантам за показ пациентов, но шум и беспорядок были все-таки изрядные. На кровати напротив лежал отставной сержант Даути и беспрестанно что-то выкрикивал, воображая, будто он вновь на понтоне производит высадку в Нормандии.

Женщина из соседнего отсека беспрерывно звала: «Сестра, сестра, сестра!» – но к ней так никто и не пришел – никто, кроме ангелов.

Мужчина с пылесосной трубой залез с головой под одеяло и плакал от боли, унижения и уверенности, что теперь-то жена обязательно от него уйдет. Он сказал Джеку, что уже второй раз за год собака нечаянно включила пылесос в спальне, и он со спущенными брюками «попал» в пылесосную трубу. Он и сам признавал, что поверить в такое невозможно.

Джек обрадовался, когда ровно в шесть утра в палате включили свет. Премьер-министр проснулся и заявил, что чувствует себя намного лучше, но выглядел он как пугало. Джек вручил ему помаду и отправился на поиски бритвы.

Премьер-министр полусидел на подушках и наблюдал, как непривлекательная женщина в мешковатом нейлоновом комбинезоне гоняет мерзкую швабру по центру палаты.

Отставной сержант Даути гаркнул:

– Под кроватями мыть надо, вот ведь где микробов-то!

Джек купил в небогатом товарами больничном киоске пакетик с бритвами «Бик» и вышел на улицу, чтобы позвонить Али. Багаж их все еще оставался в гостинице, и Джек попросил Али забрать его и привезти в больницу. Али обещал поспешить, но сначала ему надо было заскочить в мечеть.

Вернувшись в палату, Джек застал премьер-министра за беседой с несчастной уборщицей.

– Джек, это Пэт, она мне рассказывает, какая у нее кошмарная нагрузка. Она одна должна прибрать две палаты всего за три часа. До приватизации техслужбы на каждую палату приходилось две уборщицы, и они гордились своей работой и даже помогали медсестрам. Я должен поговорить с департаментом здравоохранения, когда вернусь.

Побрив премьер-министра, Джек переставил вазочку с цветами на тумбочку тощей старухи, у которой на розовой голове осталось только несколько пучков седых волос.

– Давно вы здесь? – вежливо поинтересовался Джек.

– Пять недель, – ответила она как-то по-детски. – Я занимаю койку, так врач сказал, когда в последний раз приходил. Встал у меня в ногах и говорит своим студентам: «Миссис Олкотт занимает койку». Что бы это значило?

Джек сунул в вазочку последнюю гвоздичку и сказал, что не знает, зато премьер-министр отозвался:

– Это значит, вас не выписывают, потому что дома за вами некому приглядеть.

– Ну да, потому что наше долбаное правительство позакрывало все дома престарелых, чтобы сэкономить по мелочи, – вставила грубоватая женщина в пижаме из шотландки.

Больница, похоже, работала много и эффективно, но за деятельной завесой царил хаос. Документы терялись, лекарства выдавали не тем людям, пациентов не выписывали вовремя, а у кровати человека, который умер два дня назад, поставили букет цветов. К одной и той же операции готовили двух однофамильцев; диабетику дали тарелку сладких хлопьев «Келлог» и чай с сахаром. Пациентку с табличкой «Только внутривенное питание» спросили, что бы она хотела на обед. А санитарки без устали сновали туда-сюда, хотя и с мученическими лицами.

С обходом палату посетили самые разные врачи, но единственным, кто задержался осмотреть премьер-министра, оказался спокойный психиатр, получивший образование в Загребе.

В своем отчете он написал, что осмотрел в постели пациента-мужчину, назвавшегося Эдвиной Сент-Клэр. Его поразило, что у «Эдвины» с лица не сходит улыбка.

«В течение всей беседы, продолжавшейся час, пациент неизменно улыбался. Это так называемая *увечная улыбка*, термин ввела в своей недавней работе известный психотерапевт Валери Сайнасон: патологическая заученная улыбка используется в качестве защитного механизма. Когда я спросил миссис Сент-Клэр, тревожит ли ее что-нибудь конкретно, она ответила: "Да, тревожит"».

Далее в отчете было написано:

«Я попросил перечислить, что ее тревожит, и она проговорила целых двадцать минут. Я перенес с магнитофонной записи на бумагу лишь часть перечисленных ею проблем, поскольку время не позволяет мне воспроизвести их все: сектор Газа, реформа выборной системы, лисья охота, железные дороги, система социального обеспечения, Комитет по парламентским привилегиям, обложка последнего номера журнала "Частное око", закон о расовых отношениях, Королевская служба констеблей Ольстера, бывшая Югославия, закон о профилактике терроризма, детская нищета, жилищный кризис среди служащих основных коммунальных служб, незаконная иммиграция, 11-е сентября, конституционная реформа, этническая внешняя политика, генетически модифицированные продукты, вырождение, запрет на рекламу табачных изделий, глобальное потепление, механизация обменного курса, очередной саммит Восьмерки, "Вопросы к премьер-министру", Усама бен Ладен, евро, Кашмир, финансовое положение королевской семьи, квоты на вылов трески и Европейские правила рыбных промыслов, Управление воздушными перевозками, национальный футбольный стадион, Аль-Каида, безработица на северо-востоке страны, Роберт Мугабе, Саудовская Аравия, новая эпидемия ящура, Руперт Мердок, заблудшие астероиды, дефицит стоматологов в системе национального здравоохранения, мертвые дельфины на побережье Великобритании, его мания оборачивать пенис туалетной бумагой "Бронко", Королевская прокуратура, националисты Корнуолла, уличная преступность, удостоверения личности (следует ли их называть "личными картами"?), Буш, Иран, Ирак и "Звездные войны".

Я попытался утешить "Эдвину", заверив, что все эти заботы не ее, а скорее правительства, и что ни от кого нельзя ожидать осведомленности и понимания в столь разнообразных вопросах. Я пошутил, что даже Богу пришлось бы кое-что подсократить в этом огромном списке, чтобы с ним управиться. В этот момент "Эдвина" разволновалась и сказала: "Наш Бог является весьма компетентным божеством, и я хочу недвусмысленно заявить, что Он располагает моей всесторонней поддержкой".

Он боится дифференцировать окружающий мир и предпочитает все, что нечетко определено, – явный гермафродитизм. Когда я попросил назвать любимый цветок, он ответил: "Весенние и летние цветы". Когда я спросил, есть ли у него любимая рок-группа, ответ был: "Группы, которые всем нравятся". На вопрос о любимой книге он ответил: "Классика". Он патологически неспособен выразить личное мнение, боясь не угодить собеседнику, в данном случае мне. Я спросил его о детстве. Он сказал: "Я хочу совершенно недвусмысленно подчеркнуть, что мое детство было весьма счастливым". И сразу же заплакал.

Мистер Джек Шпрот, компаньон/партнер "Эдвины", подтвердил, что "Эдвина" уже много лет живет в условиях сильнейшего стресса. Я высказал предположение, что "Эдвине" несомненно будет полезен отпуск. Мистер Шпрот спросил, не требуется ли "Эдвине" какое-либо лечение. Я ответил, что дам ему знать».

Пациентам было трудно разобраться в иерархии медсестер. Премьер-министр допустил чудовищную бестактность, попросив дипломированную медсестру поправить ему подушку.

Джеку надоело ждать, пока какое-нибудь уполномоченное лицо даст заключение о выписке из больницы, к тому же он беспокоился, что психиатр может вернуться и задержать премьер-министра. В четыре пополудни он, вопреки больничным правилам, позвонил Али из палаты со своего мобильного телефона и попросил встретить их у главного входа и отвезти в загородную гостиницу. Он решил, что премьер-министру будет полезно оказаться в тихом месте, где он сможет прийти в себя.

Али сказал, что знает как раз такое местечко – он как-то возил туда звезду из сериала «Эммердейл»* после «разборки» с мужем. Место уединенное, раньше там был сумасшедший дом.

– Звучит идеально, – отозвался Джек.

Морган Клэр снял чехол и сунул кассету в видеомагнитофон. Кассета плавно скользнула внутрь и

* Мыльная опера, действие которой происходит в вымышленной йоркширской деревне. Сериал идет с 1972 г. (второй по продолжительности в Великобритании), количество серий уже превысило 3300, до сих пор пользуется популярностью.

закрутилась. Морган взглянул на дверь своей спальни. Запереть? Или же запертая дверь будет означать, что он стыдится того, что собирается смотреть? Он знал, что родители не одобрят, но ведь есть же у него право решать самому?

С развитием сюжета Морган чувствовал, как в нем стремительно возрастает возбуждение. Дыхание участилось, а ноги, казалось, уже не держали. На ум пришла фраза «ослаб от желания» – теперь он знал, что она означает.

Малкольм Блэк, министр финансов, вручил ему эту кассету вчера со словами:

– Смотри, парень, чтобы не попалось матери на глаза.

Морган кое-что об этом знал, конечно. В школе кое-что проходили; даже его дед Перси одно время был вовлечен в это, хотя в семье о том скандальном эпизоде не говорили. Пора разобраться во всем самому. Но откуда такое чувство вины?

Он подкрался поближе к телевизору. Фильм был черно-белый, и некоторые кадры были жутко неразборчивыми.

Преамбула, предварявшая серьезные и откровенные проблемы, изводила, но Морган знал, что нужно переждать кучу пресной ерунды, прежде чем покажут действительно реальные сцены.

Морган встал и закрыл дверь на задвижку. Он сознавал, что нарушает одно из семейных правил: мама с папой не любили уединения. Порой Моргану казалось, что они боятся остаться одни.

Он вновь занял место перед экраном и скоро был вознагражден появлением своего кумира. На конференции Лейбористской партии в Блэкпуле выступал Аньюрин Беван*, развлекая и поучая огромный зал, полный делегатов. Морган упивался модуляциями любимого голоса, остроумием и мудростью фраз. Его гипнотизировало, как страстно мистер Беван боролся за рабочий класс, с каким презрением он разоблачал консерваторов.

Снаружи кто-то загромыхал дверной ручкой, затем мать крикнула:

– Морган, это я. Мама. Почему дверь заперта?

Морган схватил пульт и остановил видео, потом подскочил к двери и впустил Адель. Она почти никогда не приходила в его комнату – ей не нравился мускусный запах подростков и их мания закупоривать окна и задергивать шторы. Комната Моргана напоминала ей о посещении корейского базара, только без радости приобретения красивых восточных штучек.

– Чем ты занимался? – Не дождавшись ответа, она сказала: – Морган, это время суток не для мастурбации. Ты же еще не выполнил домашнее задание, верно?

– Я над проектом работал, – промямлил Морган.

Он ненавидел материнские лекции о мастурбации. По его мнению, она была этим противоестественно одержима и поощряла, словно это некая здоровая забава вроде крикета или тенниса.

Морган беспокоился за мать. Она всегда чем-то *занята*. Никогда не посидит спокойно. Вчера он застал ее за тем, что она кормит грудью Поппи и одновременно, скособочившись над столом, вычитывает гранки своей новой книги.

---

* Аньюрин Беван (1897–1960) – лейборист, сторонник социализма, автор реформы здравоохранения.

Адель с подозрением осмотрела комнату. Из нее вышел бы дельный сыщик, подумал Морган. Внезапно она схватила пульт и нажала кнопку воспроизведения. На экране возникла красивая голова Бевана, и комнату заполнил его голос: «Язык приоритетов – вот религия социализма!»

Адель вынула кассету и спросила обиженно и тихо:

– Где взял?

Морган молчал.

Адель сказала:

– Ты предаешь дело своего отца. Ты хочешь, чтобы мы вернулись в старые недобрые времена прежней Лейбористской партии, когда профсоюзы держали нас в заложниках, а на улицах копились мусор и трупы?

Морган не знал, о чем это она. Что такое немного мусора на улицах в сравнении с возвышенными идеями, о которых прежде говорили мистер Беван и его товарищ Беверидж?*

Когда Адель вышла из комнаты, прихватив с собой кассету, Морган бросился на кровать, упиваясь жалостью к себе. Он теперь что-то вроде мученика за левое дело, думал он, и страдает за политические убеждения. И плевать, что не купят кроссовки «Найк»; если уж на то пошло, он готов ходить в школу босиком, как дети Викторианской эпохи, пока рабочее движение не отвоевало для них обувь.

Эстель слышала крики из комнаты Моргана, что-то о «народе» и «средствах производства». Морган становится просто мужланом, подумала она. Он понятия не имеет, кто выступил в программе «Большой брат», а кто лидирует в чартах MTV. Морган –

* Уильям Беверидж (1879–1963) – английский социальный реформатор, автор послевоенного проекта социальной реформы.

бирюк-одиночка. Эстель услышала, как плачет мать, и ей вдруг захотелось броситься к ней и сказать, чтобы отдохнула, перестала делать карьеру хотя бы несколько дней.

Эстель не желала делать карьеру. Может, она и поработает несколько лет – до первого ребенка, – но работа будет такая, чтобы после службы уходить домой и ни о чем больше не думать. Станет, например, водопроводчиком или маляром-декоратором – говорят, они сейчас в дефиците. Эстель считала, что карьера делает женщину несчастной. У нее была возможность в этом убедиться. У карьеристок никогда ни на что не хватает толком времени. Ее мать называла это многозадачностью, но это только и значит, что бегаешь по пяти делам разом, а потом спохватишься и заорешь, что опаздываешь на совещание.

Карьера – это когда детям отвечаешь: «Только не сейчас». И порой плачешь – когда не можешь найти свое дурацкое портмоне и ключи. Эстель не обмануть полуфабрикатным хлебом, который мама иногда печет в духовке. Ну да, когда печется, пахнет приятно, но он ведь не настоящий, не домашний.

Конечно, у отца карьера еще хуже. Из-за нее Эстель стала арестантом. Она как принцесса в башне, разве что волосы не длинные, потому что мама говорит, что короткие волосы с утра быстрее прибирать. Папа притворяется, что ему интересны ее занятия, но Эстель понимает, что он слушает ее лишь вполуха. А ей так хочется быть самым главным человеком в его жизни. Но когда она сказала ему об этом, он ответил:

– Все мы чем-то жертвуем, Эстель.

Глава тринадцатая

В то утро Александр Макферсон созвал совещание, чтобы обсудить управление кризисной ситуацией, которую пресса уже окрестила «Нога Барри». Присутствовали: Макферсон, заместитель премьер-министра Рон Филлпот, министр финансов Малкольм Блэк, Дэвид Самуэльсон, глава службы МИ-5 сэр Найэлл Конлон и личный врач Адель, Люсинда Фридман.

Доктор Фридман прилетела в аэропорт лондонского Сити буквально за час до начала совещания. Александр послал личный самолет, чтобы доставить ее со Скироса – греческого острова, который по удачному совпадению является базой НАТО. По глубокому убеждению Макферсона, последние три дня Адель публично теряла рассудок. Даже одевалась ненормально. В то утро она надела, по его словам, хренов клоунский костюм, черт побери. Осталось только снарядить ей автомобильчик со стреляющей выхлопной трубой, и можно смело устраиваться в Московский цирк.

Прибыв в Номер Десять, доктор Фридман поднялась в спальню Адель и обнаружила ее в постели – в позе эмбриона, с руками, прижатыми к ушам. Она быстро выяснила, что Адель прекратила принимать лекарство, а голоса пророчат Эдди крах.

– За всем стоит Малкольм Блэк, – объяснила Адель.

Малкольм, по ее мнению, излучает сообщения через стену, разделяющую дома Номер Десять и Номер Одиннадцать. Он наделен демонической силой и в ответе за наводнения, железнодорожные крушения и вспышку ящура, которая свирепствует в стране в последние годы. Понимает ли Люсинда, что Эдди – новый Мессия? Он подкован гораздо лучше Иисуса, воинственно заявила Адель. И Эдди не дал бы себя распять, не закончив свои дела на земле! Он бы как-нибудь достиг договоренности с Пилатом – как сумел все уладить с либеральными демократами.

Когда доктор Фридман заметила, что, по ее мнению, министр финансов до сих пор прекрасно удерживал инфляцию на низком уровне, Адель прошептала:

– Неужели вы не понимаете, Люсинда, что этот коварный человек взращивает в нас ложное чувство безопасности. Но когда вы опять с ним встретитесь, загляните в его глаза, и вы увидите в них адское пламя.

Доктор Фридман устало спросила:

– Вы утверждаете, что Малкольм Блэк – дьявол, Адель? Должна ли я также поискать рога и раздвоенные копыта?

Адель рассмеялась:

– Мы живем в эпоху постмодернизма, Люсинда. Дьявол – в деталях, а Малкольм Блэк одержим деталями.

Доктор Фридман слишком хорошо знала подобный религиозный бред. Она считала, что представители ее профессии должны благодарить официальные религии за то, что те регулярно снабжают врачей душевнобольными клиентами.

Она заставила Адель проглотить большую дозу нового психотропного средства. Прежде чем выйти, она спросила:

– А Эдди знает, что он новый Мессия?

– Неужто иначе я бы вышла за него замуж? – сердито отозвалась Адель.

Люсинда спустилась на первый этаж и присоединилась к совещанию. Она сообщила вельможной компании за столом, что Адель пережила приступ психоза, но ей назначен новый курс лечения и через недельку-другую Адель более-менее вернется в норму.

– Более-менее? – удивился Дэвид Самуэльсон.

– Она может серьезно набрать вес, – объяснила Люсинда. – Это один из побочных эффектов.

– Насколько серьезно? – попытался уточнить Самуэльсон.

– Были случаи, когда пациента за короткий срок раздувало до ста пятидесяти килограммов.

– Эду вполне сгодилась бы жена-толстуха. Средняя женщина в Великобритании носит сорок восьмой размер.

Рон Филлпот сморщил задиристое лицо:

– Она же будет путаться у нас под ногами, пока лекарство не подействует. Ее нельзя пускать на похороны ноги, разве не так?

Филлпот льстил себе, считая себя прагматиком.

– Не волнуйтесь, – пробормотал сэр Найэлл Конлон. – Ногу Барри я беру на себя.

Малкольм Блэк, понимавший, что молчание – золото, ничего не сказал.

Зато Люсинда сказала:

– Она проспит несколько часов, но, когда проснется, кто-то должен быть рядом с ней. У нее есть друзья?

– Им нельзя доверять, – буркнул Александр Макферсон. – А Венди в больнице с чертовым Барри.

Люсинда вздохнула:

– Н-да, а я-то было настроилась на отпуск. Пойду подремлю часок-другой, а потом посижу с ней.

Она извинилась и ушла. Мужчины расслабились.

– Худшее, что может сделать политик, так это жениться на умной, – сказал Филлпот. – Моя вот тупа как пробка, зато хорошо смотрится со мной под руку на встречах с избирателями, и рубашки у меня всегда чистые. И, насколько знаю, у нее своих мнений никаких нет, в том числе и о святости чужестранных частей тела.

Малкольм Блэк пробормотал:

– Ты, наверное, имеешь в виду *чужеродные* части тела?

– А может, как раз самое время сменить название партии? – встрял Самуэльсон.

– На что?

Самуэльсон сложил ладони домиком.

– Это название все время перед нами. Среди значений этого слова – игра, вечеринка, товар, часть музыкального произведения, а также группа людей, объединившихся ради общего дела.

– То есть партия «Партия»? – сообразил сэр Найэлл Конлон. – Сегодня с утра в МИ-5 только об этом и разговору, надо бы поосторожнее с электронной почтой, мистер Самуэльсон. В наши времена секретов нет.

Рон Филлпот захохотал, обнажив два ряда хищных зубов:

– Значит, так и предлагаешь назвать? Партия «Партия»?

– Партия «Партия», – задумчиво повторил Александр. Он представил эти слова на плакатах и лозунгах, на вымпелах и воздушных шарах. Они могут придать респектабельность бранному ярлыку «социалист с шампанским». С другой стороны, чертовски немодно.

Малкольм Блэк развязно загоготал:

– Партия «Партия», мол, так хороша, что дважды не грех повторить, а?

– Это же определенно понравится молодежи, разве нет? – Самуэльсон уже расцепил свой домик и теперь методично массировал пальцы.

Малкольм Блэк сказал:

– Я бы не хотел возглавлять партию, которая считает, что нужен повтор в названии из двух слов. А с учетом демографического прогноза, все мы будем жить дольше, а потому есть смысл стараться понравиться пожилым. Я бы предпочел, чтобы мы назывались Старыми Лейбористами.

Он оглянулся по сторонам, но никто на него не смотрел. Каждый думал о своем собственном политическом будущем.

Глава четырнадцатая

В поместье Гримшо в прошлом размещалась психиатрическая лечебница, которую в 1987 году преобразовали в «тематический» отель. На обшитых стенах царственного вестибюля висели фотографии последних сумасшедших, обитавших здесь, прежде чем их выписали и отправили по домам. Еще один забавный штрих добавлял манекен в смирительной рубашке.

Хозяин гостиницы, Клайв Босток, шагнул вперед, чтобы поприветствовать Джека и премьер-министра. На нем был твидовый костюм цвета густой патоки. Его приветствие оказалось таким бурным, а рукопожатие столь крепким и долгим, что Джек с премьер-министром решили, что этот человечек с густыми серыми усами – их близкий друг, которого они не узнали.

Миссис Дафна Босток тоже была счастлива их видеть. Ее чрезвычайно интересовали подробности их поездки, а замечание Джека, что им повезло с погодой, взбудоражило до крайности.

Клайв Босток налил гостям по стаканчику шерри из графина, стоявшего на столе портье. Джеку не терпелось попасть в номер и разуться, но когда он спросил, могут ли они зарегистрироваться, и протянул кредитную карту, мистер Босток замахал руками, словно увидел динамит:

– Господи, дорогой мой, не надо сейчас платить, вы же наш гость. Ну-ка давайте я покажу вам дом и познакомлю с милыми людьми, которые помогают нам с гостиницей.

– Мы не отделяем себя от персонала, – сказала Дафна. – Мы все одна большая счастливая семья.

По длинному коридору их провели в громадную кухню, где полдюжины угрюмых восточноевропейцев прервали работу, чтобы пожать гостям руки. Краем глаза Джек заметил, как один из работников сделал неприличный жест за спиной миссис Босток.

Мистер Босток все тараторил, не переводя дыхания:

– Когда мы с Даф впервые увидели этот дом, он был в ужасном состоянии, верно, Даф? Крыша провалилась, в комнатах изолятора проросла ежевика... Но мы оценили потенциал этого места. Мы мечтали устроить подлинно радушный отель, где гости могли бы свободно себя чувствовать, могли зайти на кухню и угоститься кусочком сыра или ломтем свежеиспеченного хлеба, где обеды и ужины подлинно семейные, где гости могут читать газеты в нашей гостиной и смотреть телик вместе с Даф. Вы не найдете бара в номере, нет-нет, никакой подобной ерунды! Хотите выпить – просто спускаетесь и спокойно себе наливаете. У нас в баре все по-честному, хотя мы вас просим не допивать бутылку до конца, если вам нетрудно, подумайте о других гостях.

Сердце у Джека екнуло. Он взглянул на премьер-министра и заметил, что у того зубы в помаде – в точности как у Дафны Босток.

– И вы не найдете меню на завтрак с внешней стороны двери, как в анонимных гостиничных сетях. У нас завтракают на кухне. Большинство гостей предпочитают континентальный завтрак, впрочем, если вы настаиваете, можно организовать и основательный английский, но тогда дайте нам знать с вечера, чтобы повариха поспешила на первый автобус. Некоторые из наших постояльцев так осваиваются, что после завтрака моют за собой посуду и выгуливают собак. А многие сами прибирают свои постели и щеткой чистят унитаз.

Джек выглянул в окно и увидел на лужайке мужчину, косившего газон. Интересно, подумал он, это оплачиваемый работник или оплачивающий постоялец?

Их проводили в номер «Офелия». По дороге они миновали номер «Король Георг III» и номера, названные в честь знаменитых безумцев прошлого.

Номер состоял из трех маленьких смежных комнат. Окно одной из них, которая больше походила на просторный высокий шкаф, все еще было зарешечено. Вокруг окна и кровати висели розово-зеленые ситцевые драпировки с узором из розочек. Вдоль стен теснилась отвратительная мебель.

На премьер-министра навалилась депрессия, он буквально ощутил, как исчезает его знаменитая улыбка. Он попытался ее удержать и побрел в ванную – проверить, удалось ли. Премьер-министр знал: если улыбка пропадет, ему конец, его захлестнут горестные детские воспоминания и взрослые тревоги. Улыбка не давала ему развалиться, создавала вокруг него защитное кольцо – в точности как обещает реклама зубной пасты.

– Почему бы вам не отмокнуть в ванне с этими пузырьками, которые вы умыкнули из «Водопада»? – предложил Джек.

В «Водопаде» премьер-министр вывалил из корзинки в свою дорожную сумку ароматерапевтические масла, экстракты трав и прочую мелочевку. Наблюдая за ним, Джек тогда подумал, что в жизни не видел, чтобы кто-нибудь так возбуждался из-за столь простеньких приобретений.

Джек отвернул краны, но оттуда ничего не полилось. Он нетерпеливо подождал, и вскоре из горячего крана потекла тонкая тепловатая струйка.

Премьер-министр стоял рядом, сжимая в руке бутылочку масла для ванн «Лаванда от стресса». После предложения Джека он мечтал понежиться в душистой ванне, а когда стало ясно, что это не удастся, обвинил во всем Джека. Несправедливо, конечно, но Джек вроде бы обещал, а потом вроде бы не сбылось.

В последовавшем яростном скандале Джек кричал:

– И это вы, черт возьми, говорите о невыполненных обещаниях? А как насчет ваших долбаных обещаний не повышать налоги?

Прозвучали и другие жестокие вещи, о которых оба почти тут же пожалели. Джек извинился первым и сказал, что позвонит вниз и пожалуется Бостоку. Он набрал номер на большом конторском телефоне, стоявшем рядом с кроватью. Выяснилось, что надо набрать кучу дополнительных номеров.

Премьер-министр нажал кнопку «Приемный покой» и стал ждать. Трубку так никто и не снял. Тогда он попробовал набрать другие дополнительные номера, в том числе и с пометкой «Электрошоковая терапия». Этот номер отозвался.

– Сисси Клугберг, – произнес голос с американским акцентом.

– В номере «Офелия» нет горячей воды, – сообщил Джек.

– У нас тоже нет горячей воды, – ответила Сисси Клугберг.

– Вы тоже постоялец? – спросил Джек.

– Ну да, вроде, хотя муж стрижет лужайки чуть ли не с самого приезда, так что...

– Миссис Клугберг, – прервал ее Джек, – у вас в номере можно помыться?

– Нет, у нас нет ни ванной, ни душа. Мы живем в номере «Наполеон», а миссис Босток рассказала нам, что Наполеон не разрешал Жозефине мыться. По-моему, это наталкивает на определенные... – Пока она пыталась заново вникнуть в объяснения миссис Босток, почему в гостиничном номере нет ни ванной, ни душа, ее голос все больше затихал. – Ах да! Миссис Босток напомнила мне, что мы сами решили остановиться в тематическом отеле и что именно холодное купание выковало британский характер.

Джек сказал, что с нетерпением ждет встречи с Сисси и ее мужем...

– Его зовут Глэйд, – сообщила Сисси.

Судя по всему, следовало дожидаться, пока гонг известит гостей, что пора переодеваться к обеду, а следующий гонг – что обед вот-вот подадут.

И Джек вновь с тоской вспомнил «Холидей-Инн». Вот бы завалиться на кровать в трусах, лакомиться прямо в номере вегетарианскими блюдами и смотреть Си-эн-эн.

Поппи Клэр лежала на спине в своей кроватке и упражнялась в пинках толстой правой ножкой. Она не сводила взгляда с заводной карусели, которая медленно вращалась над ней, наигрывая песенку «Желтая роза Техаса», – подарок президента и первой леди Соединенных Штатов Америки. Поппи тянула ручки, энергично пытаясь поймать проплывающие мимо ковбойский сапог, сомбреро, нефтяную вышку, теленка, кактус, звезду, желтую розу и толстенный символ доллара.

Завода хватало на одиннадцать минут, потом карусель останавливалась и Поппи ударялась в рев. Она уже догадалась, что если кричать погромче, в комнату кто-нибудь непременно придет. Лучше всего мама – у нее есть молочко, и мягкая грудь, и тепло, но Эстель тоже сгодится. Эстель берет ее на руки, подбрасывает в воздух и танцует с ней перед зеркалом, изображая, что это она ее мама. Да и Су Ло вполне ничего, добрая и выносит ее в уличный мир, показывает деревья, разрешает почувствовать ветер и солнце.

Папа хорошо пахнет, но держит ужасно крепко, словно боится уронить и повредить.

Карусель замедлила ход, в мелодии появилась заунывность, и Поппи поняла, что скоро все остановится. Она захныкала, потом заворчала, и тут же из маленького динамика рядом с кроваткой раздался голос Су Ло:

– Привет, Поппи, слышу-слышу, Поппи. Мама больше не может тебя кормить, Поппи, она болеет, и в ее грудном молоке лекарство. Поэтому я здесь, на кухне, Поппи, готовлю тебе чудную бутылочку. Скоро привыкнешь, Поппи.

Поппи не знала, что такое бутылочка, – раньше молоко поступало только из одного источника, из мамы. Единственное, что она знала, – в ее мире все люди добрые.

Карусель остановилась. Поппи замерла, глядя, как над ее головой туда-сюда медленно раскачивается толстенный символ доллара.

Премьер-министр, сидя за столом, который служил одновременно и тумбочкой, сочинял стихотворение, которое он озаглавил «Памела».

«Что за Памела, кто она?»

Он зачеркнул, когда понял, что есть похожее и очень известное стихотворение.

Он не знал, почему ему вообще вспомнилась Памела. Она жила около Бортона-на-Водах с мужем Эндрю, неприятным типом, который что-то там делал с собаками, но Эдвард не виделся с сестрой уже три года. Когда Эдвард стал премьер-министром, она прислала ему поздравительную открытку. На одной стороне открытки был изображен свирепого вида доберман, на другой Памела написала:

«Милый Эд, теперь ты в своре главный. Поздравляю. Давай договоримся: ты ни слова обо мне, я ни слова о тебе. С любовью, Памела».

– Извиняюсь, надо было ехать в «Холидей-Инн», – сказал Джек.

Премьер-министр улыбнулся в зеркало:

– Эти Бостоки потрясающие люди, и гостиница потрясающая, и все просто потрясающе. Для меня все это – потрясающее удовольствие.

Обед подавали в прачечной, переделанной в столовую. Миссис Босток разрезала хрящеватый кусок мяса и раскладывала кусочки на холодные тарелки.

Премьер-министр оделся к обеду в свое обтягивающее платье с блестками и в экономно-тусклом сиянии настенных светильников выглядел почти женственно.

Пасмурные кухонные работники приносили и уносили блюда с чуть теплыми корнеплодами. На деревянной доске лежала тяжелая буханка хлеба очень грубого помола.

Глэйд Клугберг, американец в клетчатом кашемировом джемпере, сказал:

– Просто здорово.

Его жена Сисси подхватила:

– У нас в Штатах ничего подобного нет.

– А утром будет горячая вода? – вопросил Джек.

– Боюсь, мистер Шпрот, это зависит от причуд нашего эксцентричного бойлера, – ответствовал Клайв Босток.

Джек проглотил кусок отвратительной пищи и заметил:

– За два фунта шестьдесят пенсов в день я ожидаю не причуд, а горячей воды.

Стол погрузился в молчание, потом Дафна Босток сказала:

– Это вам не «Холидей-Инн», мистер Шпрот.

– Оно и видно, – согласился Джек, – во всех гостиницах «Холидей-Инн», где я останавливался, горячая вода круглосуточно.

Клайв Босток хохотнул:

– В самом деле, мистер Шпрот, можно подумать, для вас на горячей воде свет клином сошелся.

Премьер-министр уткнулся взглядом в стол, который Бостоки откопали в бывшей комнате трудотерапии. Стол раньше использовали для плетения корзин и прочих успокаивающих ремесел. Премьер-министр ненавидел подобные конфликты. Он мог мириться с заварухами в Косово и Сьерра-Леоне – абстракциями, которые лично его не касались, – но сейчас, в столовой Бостоков, он чувствовал, что должен выступить посредником. Бостоки неприятно напоминали ему отца.

– Лично я считаю, что значение горячей воды несколько, так сказать, преувеличено.

– Именно, – поддержал Клайв Босток. – У нас в школе только маменькины сынки скулили по горячей воде.

Внезапно победа над Бостоком в вопросе о горячей воде стала для Джека императивом. С чувством, будто они с Бостоком оказались на центральном корте Уимблдона, он вернул мяч со словами:

– Самый крутой человек, которого я встретил в жизни, – капитан командос Митч Бейтс, так вот он принимал горячую ванну дважды в день.

Босток на долю секунды завис на задней линии корта, затем ринулся к сетке и отбил мяч:

– Полагаю, уже научно доказано, что чрезмерное увлечение горячей водой ослабляет сперму. Прошу прощения у дам.

Джек поймал мяч и швырнул назад:

– У Митча Бейтса двенадцать детей, восемь мальчиков и четыре девочки, все ростом за метр восемьдесят.

Босток не успел отразить удар, и Джек пробормотал себе под нос:

– Конец партии, сета и матча.

Дафна Босток удалилась на кухню, откуда донеслись ее крики на иностранцев, которые должны были приготовить кофе и подать его в гостиную.

Премьер-министр отказывался разговаривать с Джеком или смотреть ему в глаза. Как он до смешного придирчив с этой горячей водой. Что на него нашло? Ведь эти Бостоки – соль земли.

Хозяева увели всех в гостиную. На ковре у пустого камина валялись носки Клайва, на диване лежало вышивание Дафны, а повсюду в серебряных рамочках стояли фотографии детей и внуков Бостоков с бестолковыми лицами. Огромный телевизор показывал «Кто хочет стать миллионером».

– Садитесь и устраивайтесь поудобнее, не забывайте, вы здесь – члены семьи.

Джек заметил, что Бостоки заняли самые удобные кресла, а когда Ева, женщина со скорбным лицом, принесла кофе, Клайв Босток налил чашку себе и жене в первую очередь.

Джек привел Клайва Бостока в ярость, дав правильные ответы на все вопросы Криса Тарранта и выиграв миллион фунтов. Американцев его эрудиция впечатлила.

– Ты это, парень, типа, гений, а? – спросил Глэйд.

Джек и сам удивился. До сего вечера он и не ведал, что знает, что панамы появились в Эквадоре.

– Джек – продукт британской системы общеобразовательных школ, – изрек премьер-министр.

Дафна Босток сморщила нос, будто слово «общеобразовательный» дурно пахло.

Джек сказал:

– Эдвина, если вы считаете, что общеобразовательные школы так хороши, почему же ваши дети туда не ходят?

– А вот мы поднатужились, подкопили деньжат и послали наших деток, Марка и Гиллиан, в приличную частную школу, – похвасталась миссис Босток.

Джек отхлебнул кофе и заметил:

– Сто лет не пил желудевого кофе.

Босток воспринял это как комплимент. Джек подал знак премьер-министру, что пора спать. Поднимаясь по лестнице, они слышали, как Клайв Босток рокочущим голосом рассказывал Глэйду и Сисси, что желудевый кофе изобрел в одиннадцатом веке Робин Гуд, коротая дни в Шервудском лесу.

Когда они вернулись в номер, Джек позвонил Норме. Та сказала, что долго разговаривать не может, потому что у нее гости, и на заднем плане Джек услышал молодые голоса и взрывы смеха. Норма сообщила, что Джеймс ей как сын, и Джек ощутил укол ревности. Затем Норма добавила, что обед стынет, так что Джек ее отпустил и повесил трубку, напомнив, что она может ему звонить на мобильный в любое время.

– Спасибо, только вряд ли понадобится, – ответила Норма.

Джеку было бы приятно, если бы мать поинтересовалась, где он. Иногда ему не хватало такого внимания.

Он вынул из сумки набор для чистки обуви, упакованный в герметичный пакет, и надраил свои башмаки и премьерские туфли на шпильках. После чего спросил премьер-министра, чем бы тот предпочел заняться завтра.

– Хочу повидать Пам.

Когда Эдвард Клэр стал лидером оппозиции, МИ-5 предупредила, что его сестра – «причина для беспокойства». И теперь премьер-министр хотел знать почему. Внезапно он ощутил желание поговорить с сестрой о матери.

Глава пятнадцатая

У Нормы опять был полон дом гостей.

– У нас просто Объединенные Нации, – сказала она Джеймсу, рассматривая парней и девушек, которые сидели в гостиной и ели чипсы с белых пластиковых тарелок.

Норма просила Джеймса найти ей трески, но Джеймс вернулся с расплющенным куском форели и сказал, что треска теперь рыба дефицитная и ее едят одни богачи.

– Этот мир, на фиг, рехнулся! – удивилась она.

Норма намазала маслом ломтики хлеба, аккуратно порезала их и сложила половинки на обеденное блюдо, украшенное серебристой салфеточкой. Она носила блюдо по кругу, а гости хватали сандвичи с рыбой. Они все говорили «пожалуйста» и «спасибо», и большинство умело пользоваться кухонным полотенцем, которое она давала вместо салфеток.

Джеймс над ней подтрунивал, что, мол, его молодые друзья – дурно воспитанные бестолочи и не оценят такой изысканности, однако Норма видела, что ему и самому нравится.

Кое-что в этих вечеринках Норме было не по душе, в частности, вся эта ругань. Без конца одно на хер, другое на хер, вообще все на хер. Одна девушка при Норме сказала «... твою мать», а Норма подскочила к ней и стала орать:

– Поганка грязная! Мать – слово особенное, мать этому миру жизнь дает!

Джеймс заставил девушку извиниться. Норма им гордилась: все ребята и девчата, похоже, чуток его побаивались и более-менее слушались. Он был прирожденный лидер. Джеймс объяснил Норме, что в районе прикрыли молодежный клуб и местной молодежи теперь некуда деться по вечерам. Куда лучше для всех, если они придут к Норме и покурят травку, вместо того чтобы шастать по улицам и нарываться на неприятности.

Еще Норме не нравилась музыка. Начать с того, что она ничего музыкального не находила в этом бум-бум-бум. С ее точки зрения, все это звучало как вопли толпы злых мужиков, каждый из которых грозит прибить свою сучку. Но после пары косячков слушать становилось полегче – вообще все становилось полегче. Норма переставала вспоминать о Стюарте, волноваться за Ивонну и переживать, что Джек такой одинокий. Даже артрит ее меньше беспокоил, а ночью она видела прекрасные сны.

Когда гости ушли, а Джеймс с Нормой прибирались на кухне, Джеймс сказал:

– Как бы вам понравилось заняться социальной работой, Норма, по выходным? Для вас это сотня.

– Старовата я переться куда-то на работу! – ответила Норма.

– В том-то и прелесть, что никуда не надо ходить. Я бы вам сюда приводил бедняжек, с вечера пятницы по вечер субботы.

– А что с ними такое? – спросила Норма.

Ей вспомнился микроавтобус, который раньше забирал того монгольского парня с конца улицы.

– Они пристрастились к незаконным веществам, – объяснил Джеймс. – И им нужна как бы мать, которая о них позаботится, пока у них зависимость. Им нужно безопасное место, Норма, где они не причинят вреда ни себе, ни другим.

– А мне чего надо делать?

– Не много, – ответил он. – Просто покормить и постирать. Иногда они не могут за собой уследить, с заднего конца, если я понятно выражаюсь.

– Ты о крэке, Джеймс?

Норма читала о крэке в руководстве по наркотикам на вкладке «Родителям» газеты «Миррор». Один из признаков потребления зелья – бесконтрольный понос. Любители крэка смешивают наркотик с двууглекислой содой, а потом сидят и обсираются.

– Ну вы просто гений, Норма, – восхитился Джеймс. – То есть, ведь у вас же нет предрассудков? Вы же для Стюарта делали все, что могли, правда? Ведь вам бы хотелось, чтобы за Стюартом тогда присматривал кто-то вроде вас, правда, Норма?

– И ты один из этих несчастных, Джеймс?

– Честно говоря, мать, да.

– И давно? – спросила Норма.

– Буквально пару недель, – ответил Джеймс. – Но с самого первого приема, с первой ходки ни о чем другом и думать не могу.

Норма пыталась вспомнить, что еще читала в «Миррор». Кажется, это от крэка теряют рассудок? Становятся агрессивными? Или от экстази? Она не помнила.

Она не смогла выдержать пристального взгляда:

– Если мне придется стирать засранные штаны, Джеймс, то мне нужно больше сотни.

– Заметано, – сказал Джеймс.

Он поцеловал ее на прощанье и отправился спать.

Когда хлопнула дверь в комнату с осликами, Норма сбросила туфли и распустила несколько крючков на корсете, который надела под вечернее платье. Одна из девушек даже сделала ей комплимент насчет фигуры и добавила, что она не выглядит на свои семьдесят один.

– Не говори Джеку, Пит, а то у него могут быть большие неприятности, – сказала Норма Питеру, который раскачивался на трапеции.

Питер спорхнул с качелей и прыгнул к поилке, надеясь, что Норма не забыла налить воды. Но там было по-прежнему пусто.

Когда на следующий день премьер-министр и Джек спустились в кухню на завтрак, Бостоки ссорились. Глэйд и Сисси Клугберг у раковины что-то мыли, – кажется, кастрюли, оставшиеся с вечера.

Босток говорил жене:

– Придется тебе сесть на телефон и поискать новых иностранцев, Дафна. Этих ты сама выгнала.

Дафна повернулась к Джеку и премьер-министру, пытаясь вызвать сочувствие:

– Я всего-то и сказала этим иностранцам, что не мешает иногда улыбаться, тем более что мы к ним так добры. Я знаю, они многое пережили, всякие разные страдания, бежали из родных мест. Только ведь мы с Клайвом с ними очень хорошо обходились. Мы же им дали идеальную общую спальню и еду. Ладно, не такую, как сами едим, но ведь еда же. И у них были деньги на карманные расходы, а если бы они побольше улыбались, то гости давали бы им на чай. Они благодарить нас должны.

Клайв толкнул в сторону Джека и премьер-министра недоеденную вчерашнюю булку и липкую банку джема. Он пояснил:

– Сегодня с утра у нас тут небольшой кавардак, потому что иностранцы ночью сбежали. А сегодня у нас конференция – вы ведь поможете нам перетаскать стулья?

Прежде чем премьер-министр открыл рот, Джек ответил:

– Извините, но у нас обоих болит спина, и мы уезжаем в Глостер, как только за нами приедет машина.

– Мы с Глэйдом будем счастливы помочь, – сказала Сисси.

Конференцию проводили в старом спортзале, где некогда сумасшедшие танцевали с персоналом на ежегодных рождественских вечеринках. На стенах висели фотографии людей со счастливыми лицами, в бумажных шляпах. Невозможно было отличить надзирателей от заключенных.

Джек с премьер-министром, встав в дверном проходе, смотрели, как Глэйд и Сисси вытаскивают из груды стулья и выстраивают их рядами перед маленькой сценой.

Позади сцены висел плакат: «Личная карта* – общий шанс».

– Может, и не Большой Брат, но большая сестра и все чертово семейство, – сказал Джек.

Премьер-министр рявкнул:

– У вас просто истерия от паранойи!

Джек посмотрел на него:

– Эд, вы же наверняка иногда видите преимущества анонимности, когда просто можно смыться, пока никто не знает, кто вы и чем занимаетесь?

Премьер-министр произнес как заклинание:

– Чего же бояться, если нечего прятать?

Джек сказал:

– А мне есть что прятать. Мой уровень кредитоспособности, читательские вкусы в библиотеке, политическую принадлежность, судимости моего отчима, то, как умер мой брат, сколько бухла в неделю я покупаю, мой генетический код... Зачем какой-то страховой компании все это обо мне знать?

Премьер-министр задумался. Узнает ли программа «Личная карта» о туалетной бумаге «Бронко»? Он был совершенно уверен, что Адель единственная знает, как именно он ей пользуется. Но он бы умер, просто умер, если бы об этой его идиосинкразии пронюхала «Дейли мейл».

Пока премьер-министр собирал вещи, Джек вышел на улицу, чтобы позвонить Али и узнать, скоро ли тот подъедет. Ему не терпелось отсюда убраться. У гостиницы выстроилась вереница микроавтобусов, набитых мужчинами и женщинами в темных

* Программа поголовной паспортизации и создания единой базы данных о населении Великобритании.

костюмах. Он смотрел, как делегаты вылезают из автобусов и толпятся у входа. Навстречу им выплыл Клайв Босток.

Адель то проваливалась в счастливый сон, то приходила в себя. Постель была восхитительно мягкой и теплой, и она чувствовала себя невесомой, будто ее завернули в сказочные покрывала – из гусиного пуха, лебединых перьев и тонких нитей, скрученных светлячками.

Три лебедя держали в клювах шелковые веревочки и влекли ее bateau lit по розово-золотому небу, а над средневековым пейзажем садилось солнце.

Ее везли в Страну Сказок, в Утопию, где ландшафты спроектировала Вита Сэквил-Уэст*, где ее друзья-феи будут пить утреннюю росу с цветов и есть ягоды и где природа дает все необходимое.

Адель села в постели и обратилась к запряжному лебедю:

– По-моему, вы взяли не то направление, разве не надо было на Млечном Пути свернуть направо?

– Прошу прощения, – ответил лебедь, – но я тысячи лет совершаю рейсы в Страну Сказок, не учите меня.

Тогда Адель спросила:

– А когда я получу крылья из паутинки?

– Выдадут по прибытии, – раздраженно отозвался лебедь. – Постарайся расслабиться.

Но Адель не терпелось.

---

* Вита Сэквил-Уэст (1892–1962) – популярная писательница, прославившаяся также как дизайнер ландшафтов и автор книг на эту тему.

– А что я буду делать в Стране Сказок?

– То же, что и все другие феи: спать в гамаке из паутинок, подвешенном меж двух травинок; просыпаться поутру и омывать лицо в умывальнике из скорлупки желудя; завтракать нектаром и ягодами, а там сама решишь, как провести остаток дня.

Адель закинула удочку:

– А нормально, если я просто буду сидеть и ничего не делать?

– Совершенно нормально, – сказал лебедь. – В Стране Сказок праздность весьма почитают.

– А невежество боготворят, – добавил другой лебедь.

И покуда лебединые крылья несли Адель к горизонту, она планировала свою будущую жизнь. Она станет носить на голове перевернутый колокольчик и закажет фее-портнихе платье из розовых лепестков. Самой ей ни за что не сшить себе платье феи – как портниха она была безнадежна.

Люсинда сидела в кресле в ногах кровати Адель и читала статью в номере «Спектейтор» за эту неделю, где восхвалялась мужественная позиция Адель по одному из наиболее злободневных вопросов – «Нога Барри». Люсинда с интересом узнала, что Папа Римский на нескольких языках изрек «Бог дал Барри ногу, Бог ее взял, Бог же и должен от нее избавиться».

Адель свесилась с кровати и посмотрела вниз. Под ней мерцала Страна Сказок, и Адель невольно забеспокоилась: насколько она понимала, социально-экономическая система в Стране Сказок могла оказаться подобной системе того мира, который она покидает. Существует ли там классовое расслоение? Живут ли одни феи в больших грибах, в эксклюзивных районах престижной застройки, а другие ютятся в мелких поганках на краю болота?

– А книги там есть? – спросила Адель.

– Нет, в Стране Сказок книг нет, – ответил лебедь.

– Придется мне тогда самой книги писать, – вздохнула Адель.

– Тогда тебя вышвырнут, – сказал лебедь. – От книг одни неприятности.

– Но надо же мне что-нибудь читать! – воскликнула Адель.

– А к чему привели все твои книги, журналы, изобретения, философские школы и политические системы? – вопросил лебедь.

Они пошли на снижение. Адель услышала хрустальный смех и увидела, как тысячи фей смотрят на нее с земли и улыбаются. И у всех носы в точности как у нее.

Люсинда отметила, что первым делом после пробуждения Адель прикрыла свой огромный нос.

– Мне приснилось, что я живу в стране фей, – сонно сказала Адель.

– И какая она? – спросила Люсинда с профессиональным интересом.

– Божественная. Совершенно ничего не надо делать.

– А феи какие? – напирала Люсинда.

– Просто чудо, – сказала Адель.

Однако чутье подсказывало Люсинде, что Адель что-то утаивает

– А Эд там был? – спросила она.

– Нет, но все равно хорошо, – ответила Адель.

– Но все же что-то плохо? – не отставала Люсинда.

– Ничего.

– Бросьте, Адель, я не первый день ваш мозгоправ и знаю, когда вы о чем-то умалчиваете.

Адель потрогала нос.

Люсинда рискнула:

– Адель, только одну вещь мы с вами ни разу не обсуждали, хотя она так же очевидна, как ваш нос, – собственно говоря, это *и есть* ваш нос.

Адель натянула простыню по самые глаза.

– Адель, эту штуку надо убрать с вашего лица! Я знаю пластического хирурга, который...

– Это телесный фашизм! – в ярости закричала Адель. – Почему я должна подстраиваться под идеалы красоты, которые навязывает глянцевая пресса?

– Признайте же, ваш нос – огромная проблема, – упорствовала Люсинда. – Из-за него у вас психологическая травма.

Через час они листали каталог пластической хирургии и выбирали новый нос для Адель. Там имелись носы всех мыслимых размеров и форм.

Глава шестнадцатая

Когда Норма и Джеймс вернулись из магазина с провизией для гостей, дом преобразился. Входную дверь укрепили стальным листом, а на окна первого этажа навесили решетки.

– Чисто тюрьма, – сказала Норма. – А куда почтовый ящик делся?

– Да на кой черт вам почтовый ящик? – отозвался Джеймс. – Вы же никакой почты не получаете.

Они перенесли коробки с провизией из машины в кухню и обнаружили трех приятелей Джеймса, которые собирались и заднюю дверь укрепить стальным листом.

Норма предложила им чаю, но один из молодых людей сказал:

– Мы уже налили себе кофейку, Норма, надеюсь, вы не против. И еще Питеру воды подлили и все такое.

– Так вы что, ребята, в муниципальном совете работаете? – удивилась Норма.

Джеймс рассмеялся:

– Не-а, они у меня работают. Я хочу, чтобы моя мать в своем доме чувствовала себя в безопасности. Чтобы всякая шваль не лезла.

Когда на кухонное окно вешали решетку, позвонил Джек. Он сказал, что, возможно, заскочит на досуге.

– В какой день? – спросила Норма. – В пятницу, субботу или в воскресенье?

Джек не был уверен насчет графика и поинтересовался, насколько это важно.

Джеймс, слушавший разговор, покачал головой и изобразил губами:

– Только не в эти выходные.

– В эти выходные не приезжай. Я буду занята. – И не зная, что еще сказать, добавила «пока» и повесила трубку.

Норма и Джеймс распаковали коробки и выставили на стол банки с пивом, замороженные пиццы, гамбургеры с говядиной и пакеты чипсов.

Джеймс принес достаточно еды и выпивки на восьмерых, включая себя и Норму.

– Когда раскрутимся, купим хороший холодильник и новую стиральную машину, – сказал он.

Норма кивнула, но ей не совсем понравилось, что пришлось отказать Джеку. Временами ей казалось, что Джеймс узурпировал ее жизнь, но говорить ему она ничего не хотела. Ей не улыбалось, чтобы вернулись те времена, когда она день-деньской сидела сама по себе и не с кем было словом переброситься, кроме Пита. Ее расстраивало, что Джеймс прекратил прибираться в доме, но он очень доступно все объяснил: «Норма, в вашем возрасте необходима физическая нагрузка – это лучшее средство от всяких там сердечных приступов».

Покинув отель в Гримшо, премьер-министр предложил выбрать живописный маршрут и по пути в Бортон-на-Водах проехаться по району Пик. На заправке они купили карту, и премьер-министр вызвался на роль лоцмана. Однако буквально через несколько минут он завел их в сельскую глушь, и Али пришлось разворачивать машину во дворе какой-то фермы в присутствии испуганного фермера и его жены. Сделав еще несколько фальстартов, премьер-министр вручил карту Джеку и по-девчоночьи пискнул:

– Лучше вы, Джек, всем известно, что мы, женщины, ничего не понимаем в картах.

– Моя мадам блестяще разбирается в картах, – улыбнулся Али. – Она вела нас из Исламабада до Карачи, а это же целых девятьсот миль, и ни одного лишнего поворота, иннит.

Премьер-министр угрюмо смотрел на чудесный вересковый пейзаж, чувствуя себя посрамленным познаниями жены Али.

Джек неохотно взял карту. Было так приятно просто сидеть и смотреть в окно. Ему нравились мелькавшие мимо виды – было в них что-то первозданное и дикое, и он благодарил Бога за то, что до сих пор не увидел ни одного буколического домика с соломенной крышей.

Зато для Али дорога от Лика до Бакстона – лучшее шоссе Англии – стала испытанием. То ярко светило солнце, то через минуту они ехали в густом тумане. Впереди, под порывами неугомонного ветра, плелась колонна автоприцепов, а как раз перед ними тащился пенсионер на «Робине»*. У водителя в

* Популярный трехколесный мини-автомобиль фирмы «Релайант».

какой-то момент, похоже, сдали нервы, потому что он упорно держался скорости в двадцать пять километров в час. Али не мог обогнать его из-за непрерывного потока машин, проносившихся мимо во встречном направлении, поэтому впал в уныние и впервые за все время их знакомства вышел из себя и стал ругаться и грозить кулаком старику в маленьком трехколесном автомобильчике.

Увидев на подъезде к Бейквеллу щит с рекламой традиционного чая с молоком, Джек попросил Али свернуть на парковку. Премьер-министр и Джек вышли, но Али остался сидеть за баранкой.

Джек наклонился к окошку с его стороны:

– Али, пошли с нами, никто здесь вашу машину не уведет.

– Не, мне туда нельзя. – Али с испугом посмотрел на увитый глициниями коттедж из серого камня, словно это был штаб КГБ.

– Но почему? – удивился Джек.

– Это место не для таких, как я, иннит, – ответил Али. – Это для англичан.

– Но ведь вы – британец, Али, – сказал премьер-министр. – Вы имеете право пить чай с молоком, как любой британский гражданин.

Али безрадостно рассмеялся.

– Мы с шурином как-то раз зашли в сельский паб. Шумно было, все разговаривали, а когда мы вошли, все замолчали. Мы еще и заказать не успели, а хозяин говорит: «А я думал, вы не пьете». Я говорю: «Пьем апельсиновый сок». Мы там пробыли буквально минут пять, иннит, тут входит женщина и говорит: «Блин, Эрик, они уже полезли сюда из городов».

– А вы сообщили о ней в Управление по проблемам расовых отношений? – спросил премьер-министр.

Али с Джеком только улыбнулись. Джек сказал:

– Вы очень трогательно верите в учреждения, Эд.

Али ответил премьер-министру:

– Если ходить в Управление по проблемам расовых отношений каждый раз, когда меня называют сраным пакистанцем, придется у них на пороге разбить палатку. Нет, просто когда я не на работе, то не выхожу с наших улиц. Жаль, конечно, моя мадам любит деревню, коров всяких... – Али замолчал.

– Я настаиваю, чтобы вы составили нам компанию, Али, – сказал премьер-министр. – Чай со сливками – это британский обычай, и он должсн быть доступен любому, у кого есть действующий британский паспорт.

– Или личная карта, – пробормотал Джек.

Али нехотя вылез из машины и позволил отвести себя в чайный зал коттеджа. Гости за столиками вытаращились, только не на Али, а на премьер-министра. В районе Пик трансвеститы попадаются реже пакистанцев. Троица устроилась за свободным столиком. Али печально уставился на розовую клетчатую скатерть. Мало того, что он тут единственный темнокожий, так еще и с кем! Он уже через несколько часов понял, что эта блондинка на самом деле мужчина, и все вокруг это видят, иннит. Он свою мадам предупредил: если Джек еще раз позвонит, то я на заказе. Стоит своим узнать, что он мотается с извращенцем, в мечети на него станут косо смотреть. На него уже и так давят, чтобы заставил свою мадам носить чадру. Когда он ей об этом сказал, она процитировала Коран, то место, где написано, что женщины не хуже мужчин, а потом говорит: «Ты же знаешь, терпеть не могу, если у меня перед глазами что-нибудь болтается, мне даже челка действует на нервы».

Али хотелось, чтобы сейчас рядом оказалась жена – она бы знала, что выбрать из меню. Она лучше него читает по-английски. Ведь она сдала экзамены на аттестат о среднем образовании и, пока не вышла за него замуж, работала в банке.

Премьер-министр спросил Али, не хочет ли он заказать что-нибудь из меню. Али отмахнулся:

– Спасибо, мне ничего не надо.

Это была неправда, но не мог же он им сказать, что всяких этих слов в меню не понимает, верно? Даже пускай и проголодался.

– Давайте наберем разных блюд и поделимся, – предложил Джек.

К столику подошла долговязая школьница с покатыми плечами и отбарабанила как робот:

– Здравствуйте, меня зовут Эмма, я сегодня ваша официантка, чем могу быть полезна?

– Здравствуйте, Эмма, – сказал Джек, – я сегодня ваш клиент и хотел бы сделать заказ.

Он посмотрел в меню, напечатанное староанглийским шрифтом.

– Блюдо свежего салата в ломтиках запеченного хлеба, традиционные сельские ячменные лепешки с порцией превосходных сливок и с садовыми фруктами, консервы и большая кружка чая.

После того как заказ повторили несколько раз, девушка наконец-то поняла.

– Я хотела бы поговорить с вами, Али, – начал премьер-министр, – о вашем опыте жизни в нашей стране, о расизме, интеграции и этнических проблемах.

– Давайте лучше о крикете побалакаем, Эдвина, – предложил Али.

Но премьер-министр помнил предупреждение Александра Макферсона: «Держись подальше от долбаного крикета и заставь себя следить за футболом. Новые Лейбористы – это Новый Футбол».

Мужчины посидели в неловком молчании. Джек сделал вид, что читает меню. Али водил пальцем по узору на скатерти, а премьер-министр отчаянно пытался припомнить, когда ему в последний раз докладывали о крикете. Наконец он сказал:

– Английское управление крикета обратилось к нам за инструкциями, не провести ли очередной отборочный матч между Индией и Пакистаном на нейтральной территории, в Англии.

– На нейтральной! – захохотал Али. – На поле в Хедингли прольется кровь, это я вам говорю, иннит. Поймите меня правильно, у меня нет предрассудков, некоторые мои лучшие друзья – индийцы.

Когда принесли угощение, оно мало походило на идеальный чай со сливками, который рисовался Джеку в воображении. Все сандвичи были липкими от майонеза, лепешки неумело разогреты в микроволновке и шипели на тарелке, сливки подали в банке, а варенье – в маленьких пластиковых корытцах, которые приходилось протыкать вилкой.

Джек подозвал Эмму и сообщил:

– Сандвичи пропитаны майонезом.

– Их и привезли с майонезом, – пробормотала Эмма.

– Откуда привезли? – пожелал знать Джек.

– С комбината в Бакстоне.

– Это же миль десять отсюда.

Али профессионально уточнил:

– Почти пятнадцать.

– А кто печет лепешки? – спросил Джек.

Девушка, похоже, не поняла:

– Печет? Они из Исландии.

– Из Исландии? – удивился премьер-министр, недавно побывавший в Рейкьявике. – Но это же очевидный абсурд!

Али объяснил, что в Исландии есть национальная оптовая компания, специализирующаяся на замороженных продуктах.

– Ну так чего, прибирать со стола-то? – поинтересовалась Эмма.

– Чай оставьте, – велел Джек.

Когда Эмма принесла счет, Джек оплатил все; ему не хотелось спорить с этой нервной девицей, которая не знает настоящего значения слов «свежий», «традиционный» или «садовый».

Когда они выходили из чайной, Эмма мрачно сказала им вслед:

– Я буду по вам скучать.

Джек обернулся:

– Простите?

Эмма повторила:

– Я буду по вам скучать.

Джек сказал:

– Эмма, вы же не американка, и здесь не Америка. Тот, кто велел вам повторять эту фразу, круглый дурак.

Девушка пожала плечами:

– Как хотите.

Тренькнула микроволновка, и Эмма отвернулась.

Проехав по дороге милю, они остановились на станции техобслуживания и купили конфет, хрустящего картофеля, лимонад в бутылках и номер «Дейли мейл». Али никогда не пропускал свой гороскоп – эти детские забавы так поднимают настроение. Он вставил в магнитофон кассету с подборкой «Лучший соул всех времен», и, подъезжая к Стаффорду и ужасам шоссе М6, все трое вслед за Эдди Флойдом* распевали «Постучи по дереву».

Через четыре развязки они уже успели спеть «Под дощатым тротуаром», «Дождливый вечер в Джорджии», «Сестра Соул», «Коричневый сахар» и «Когда мужчина в женщину влюблен», но на шоссе их подхватил поток машин, они попали в пробку и оказались в сандвиче между цистерной с черепом и костями на заднем борту и грузовиком с тремя ярусами блеющих овец.

– Почему мы остановились? – спросил премьер-министр.

– Дорога перегружена, иннит, – ответил Али. – В Уолсолле всегда так. Я тут последний раз ехал – три с половиной часа проторчал. Газету почитал, покемарил, а когда проснулся, народ уже вышел из машин, ходит по дороге, друг с другом разговаривает. Вообще-то прямо неплохо, – мечтательно вздохнул он. – Один тип в красной «астре» дал мне банку «Лилта», когда я сказал, что пить хочется. Но

* Эдди Флойд (р. 1935) – американский певец в стиле соул.

вот что я вам доложу: если бы этот мудак Эдвард Клэр там появился, его бы сожрали с потрохами.

Премьер-министр оглядел соседние машины и нервно возразил:

– Премьер-министр не отвечает за пробки, министр транспорта – Рон Филлпот.

– Рон Филлпот – алкаш, иннит, – сказал Али.

– Само собой, все знают, что алкаш. Его назначение заместителем премьера – просто уступка левым, – пояснил премьер-министр.

Джек спросил:

– А разве правительство не строит где-то здесь Северную объездную дорогу?

– Это совместное предприятие общественного и частного капитала. Дорога будет платная, – сообщил премьер-министр.

– А чего ради я должен выкладывать десятку? – удивился Али. – Я ведь уже плачу дорожный налог, подоходный, местный и еще налог на топливо, иннит.

– Это разбой на большой дороге, Али, – согласился Джек. – Двести лет назад Дик Терпин* занимался тем же самым.

Следующие пару часов они плелись со скоростью пешехода, слушая в прямом эфире неистовые дебаты о роли супруги премьер-министра. Надо ли, чтобы Адель видели, но не слышали, или она имеет право выражать мнение по вопросам национальной важности?

Когда Питер, слушатель из Труро, позвонил в студию и сказал, что у Адель Флорэ-Клэр яйца кру-

* Легендарный грабитель XVII века, действовал на дороге между Лондоном и Йорком.

че, чем у ее мужа, премьер-министр тайком поправил яички в трусах своей жены и согласно кивнул.

Хассин из Кеттеринга утверждал, что Адель заняла правильную позицию в вопросе о ноге Барри, хотя и полагал, что похороны бородавок – это чересчур.

Дозвонилась некая Сандра из Кардиффа и предложила компромиссный вариант: хоронить бородавки коллективно. Она не могла точно сказать, сколько бородавок войдет в среднего размера гроб, но была абсолютно уверена, что сотни, если не тысячи.

Когда доктор Сингх, лектор математики из Брунейского университета, сообщил, что в средний гроб войдет приблизительно 51842 бородавки, Али выключил радио и снова поставил кассету «Лучший соул всех времен».

Пока движение было парализовано, все трое разучили слова песни «Постучи по дереву» и даже отработали в салоне машины танцевальный номер, включавший синхронное постукивание по голове соседа.

Премьер-министр пережил миг прозрения. Никогда в жизни он не был так счастлив. Всякий раз, когда заканчивалась «Постучи по дереву», он просил ее снова проиграть.

Наконец Али сказал:

– Нет уж, у меня уже на голове шишка, иннит. Джек, почитайте мне мой гороскоп, я Козерог.

Джек прочел вслух:

– «Над вашей жизнью нависли грозовые тучи. Человек противоположного пола на вас обижается – давно ли вы говорили о своей любви? Промедление может повлечь за собой серьезные перемены в жизни, о которых вам придется пожалеть».

Али взял мобильник, позвонил домой и настойчиво поговорил с женой на урду. Когда Али опять повел машину двумя руками, премьер-министр спросил:

– А что звезды сулят Рыбам?

– Я думал, у вас в мае день рождения, – удивился Джек.

– У меня-то да, – сказал премьер-министр, – а вот Малкольм Блэк – Рыба.

Джек прочел:

– «На этой неделе не упустите возможность реализовать себя. У вас есть и мужество, и талант, так что дерзайте, вперед, возьмите то, что принадлежит вам по праву. Если вы собрались переезжать на этой неделе, возможно, придется ненадолго отложить переезд – не отчаивайтесь».

– Вот скотина, – прошептал премьер-министр, – стоит только отвернуться.

Он кивнул в ответ на вопрос Джека, читать ли прогноз для Тельцов – знак премьер-министра.

– «Вас по-прежнему преследует знакомое чувство надвигающейся опасности. Не прекращайте поисков. Возможно, теперь пора почивать на лаврах. Пусть другие делают грязную работу. Вашего внимания требуют дела семейные».

– Джек, а вы кто по зодиаку? – поинтересовался Али.

Джек ответил:

– Рак, и тут чепуха всякая. – Но все же прочел, чтобы доставить Али удовольствие: – «Роман буквально за углом. Однако если, увидев ее, вы снова спрячетесь в панцирь, можете упустить поистине счастливую возможность. Не истек ли срок страховки на ваше домашнее животное?»

Они остановились у заправки «Фрэнкли Сервисез» на шоссе М5, чтобы сходить в туалет. Джек и Али вместе пошли в мужской, а премьер-министр последовал за дамами в женский.

Помочившись, премьер-министр долго сидел на унитазе. Он не мог смириться с тем, что они едут на юг и что через два дня он снова погрязнет в болоте мирских забот. Казалось, он готов не покидать кабинку вечность, слушая звуки спускаемой воды, жужжание сушилки для рук и веселую болтовню женщин, прихорашивающихся перед зеркалом. Он обхватил голову руками и сидел так, пока не услышал голос Джека:

– Эдвина, где вы там?

Глава семнадцатая

Малкольм Блэк сидел на диване, обняв одной рукой жену, Ханну. Его огромная голова тяжело покоилась на ее хрупком плече. Он предупредил своего помощника и личного секретаря, что хочет один час побыть наедине с женой, так чтоб ему не мешали.

– Пора тебе подстричься, Мал, – сказала Ханна. – Вчера по телику твои волосы выглядели ужасно, будто бесплатный парик.

– Неужели так худо? – спросил он.

Их час истекал, а решение еще не было принято. Хочет она или нет, чтобы он стал следующим премьер-министром? Если она скажет «нет», он сосредоточится на стабилизации экономики и искоренении детской бедности. Если скажет «да», он навсегда изменит облик Великобритании.

Малкольм принялся грызть ногти, но жена вырвала его руку изо рта.

– Хорошо сидим.

– Это могло бы стать приключением, – сказала Ханна.

Он засмеялся:

– Да уж, одно из тех ярких британских приключений, которые заканчиваются провалом и поражением. Я мог бы стать Эрнестом Шаклтоном* британской политики.

Ханна выпрямилась и посмотрела ему в глаза:

– На сколько баллов из десяти ты хочешь быть премьер-министром?

– На десять, – ответил он.

– Тогда лучше стань им, – сказала она. – У тебя неплохо получается для выскочки из Гована, верно? – Она рассмеялась.

В детстве Малкольм был развит не по годам и в три годика наизусть рассказывал все книжки про Томаса-Паровозика. Он бесконечно задавал вопросы, так что взрослые при первой возможности спасались бегством. Со своими одноклассниками он словно жил в разных мирах и старательно избегал контактов со сверстниками. В шестнадцать Малкольм поступил в Эдинбургский университет, где влюбился в одну балканскую принцессу, и, если бы на ней женился, стал бы королем в ее стране. Малкольм был безнадежно неорганизован, и картотекой ему служили карманы, набитые всякой всячиной. Наблюдая по телевизору футбол, он отдавался игре с такой страстью, что Ханна боялась, как бы у него не лопнул какой-нибудь кровеносный сосуд. Малкольм вырос на верфях Гована, и нищета, которую он там видел, сделала его социалистом. Он питал глубокое и нежное чувство к младенцам и вообще к маленьким детям. В Бога он не верил и находил поразительным, что премьер-министр, министр

* Эрнест Шаклтон (1874–1922) – британский исследователь, участник антарктической экспедиции Скотта.

внутренних дел и министр иностранных дел, как один, – члены Социалистического Христианского движения. Все трое выглядели такими рационалистами. Малкольм как-то застал их в кабинете, у каждого руки были сложены домиком, а глаза закрыты, и он понадеялся, что они так размышляют, а не молятся.

Ханна Блэк уехала на вечернее мероприятие. Малкольм положил на колени папку Моргана Клэра с домашним заданием. «Совместные предприятия с участием частного и общественного капитала менее эффективны и более дороги, чем государственные проекты. Обсудить». Малкольм написал: «Обсуждать нечего. СП доказали свою несостоятельность. При рассмотрении проектов впредь необходима крайняя осторожность. Передача полномочий региональным властям и СП снимает с центрального правительства ответственность за неудачи, позволяя одновременно приписывать себе все заслуги в случае удач».

Али остановил машину на обочине у щита, на котором готическим шрифтом было выведено: «Приют: превосходный интернат для собак. Первый поворот направо». Рядом висела табличка «Продается» с названием риелторской фирмы и номером телефона.

Али пропустил вперед трактор, потом развернул машину и зашуршал шинами по длинной гравийной дорожке. Издалека доносился собачий лай.

– Похоже, там куча собак, иннит? – испуганно сказал Али. – Я как-то с собаками не очень, моего дядю в Лахоре однажды покусала собака, и он заболел бешенством.

Премьер-министр успокоил его:

– Вряд ли у Памелы на псарне есть бешеные собаки. Ведь тут один день пребывания стоит сто фунтов.

– Шутите? – изумился Али.

Они подъехали к симпатичному дому в георгианском стиле. Из калитки вышла высокая женщина со светлыми волосами, собранными на макушке, в сером жилете с начесом, линялых джинсах в обтяжку и зеленых высоких сапогах. В руках она держала пластиковое ведро. Даже издалека она до странности походила на премьер-министра.

Когда премьер-министр вылез из такси, она поставила ведерко и сказала:

– Боже, Эд! Тебе платье идет больше, чем мне.

Смех у нее был привлекательно низкий, с хрипотцой, словно после бронхита. Она вынула из верхнего кармана жилета пачку сигарет «Сент-Мориц» и прикурила от розовой одноразовой зажигалки. Тут же закашлялась и сказала:

– Эта дрянь меня убьет.

Выговор у нее был идеальный, но не чопорный, и Джеку она сразу понравилась.

Он и не заметил сначала, что ногти у нее грязные, а волосы перехвачены мужским носком. Премьер-министр познакомил их, они пожали руки, посмотрели друг другу в глаза и улыбнулись.

– Я так и знала, что однажды ты появишься, – сказала Памела.

Джек сразу же решил, что она обращается к нему, но ответил премьер-министр:

– Пам, меня здесь нет.

– Знаю, – улыбнулась она. – Ты в бункере, изображаешь великого полководца.

Премьер-министр отвел ее в сторонку и прошептал:

– Али, водитель, не знает, кто я такой, Пам, – не продай.

Али сидел за рулем, ожидая, пока англичане закончат свой странный приветственный церемониал. Он подумал, не придется ли и его детям научиться делать вид, что они не рады встрече с родней или новым знакомствам. Красивая сестра чокнутого мужика в светлом парике постучала в окно машины и пригласила его в дом на чашку чая.

Али спросил о собаках и рассказал про дядю в Лахоре. Памела с интересом выслушала его и заверила, что все собаки в надежных вольерах.

После того как они с Джеком пожали друг другу руки, она избегала смотреть на него и обращалась в основном к Али, выпытывая подробности мучительной дядиной смерти.

Они подошли к низкому беленому зданию.

– Вот здесь живут наши постояльцы, – сказала она. – Я как раз собиралась их кормить. Эдди, ступай в дом и завари чаю для Али. Джек поможет мне покормить собак.

Премьер-министр с облегчением покинул лающих и рычащих псов; отец в детстве не разрешал ему заводить животных из соображений гигиены.

Джек ожидал обнаружить запах дезинфекции, каменные полы и клетки, но с изумлением увидел уютные комнатки, ковры и мягкое освещение. У каждой собаки был отдельный вольер и цветной телевизор. Несколько собак смотрели «Новости».

Пока Памела ходила из комнаты в комнату, раскладывая в миски «Педигри», Джек ни с того ни с сего стал ей рассказывать о псе, который у него был в детстве. О том, что пес не возражал, когда его использовали в качестве подставки для ног.

– И как его звали? – спросила Памела.

– Боб, – ответил Джек. Он не стал говорить, что никогда не называл пса по имени на улице, иначе соседи стали бы дразнить и высмеивать собаку: на местном жаргоне слово «боб» означало «какашки».

Ростом Памела была почти с него, и Джеку это нравилось. Маленькие женщины пугали его своей хрупкостью. Он не мог налюбоваться на ее милое лицо. Она обо всем говорила с иронией. Он пытался вычислить, сколько ей лет, и в конце концов просто спросил.

– Сорок один, – немедленно ответила она. – Врут, что после сорока – лучший возраст.

– Так ведь пока только один год после сорока, – сказал Джек.

– Ну да, зато уже дерьмовый. Муж ушел от меня в январе, мой бухгалтер переехал в Танжер, а сраное правительство Эда позволило британским корпорациям украсть мой пенсионный план.

Джек с удовольствием слушал. Ее рассказ означал, что она доступна и ранима. Он подумал, что мог бы рискнуть: попытаться осчастливить ее и восстановить ее пенсионный план.

Джек спросил, есть ли дети, и с облегчением узнал, что нет.

– Я слишком люблю детей, чтобы заводить их, – сказала Памела. – Из меня вышла бы жуткая мать. Я дико ленивая, ужасная эгоистка и вообще ненавижу, когда больно. Я слишком много насмотрелась ковбойских фильмов, где жены ковбоев обрушивают воплями свой домик на ранчо, пока рожают ковбоям сыновей.

– И почему-то всегда непременно сыновей, правда? – подхватил Джек.

– Ага, – улыбнулась Памела. – Для отца я стала двойным ударом. Не только дрянная девчонка, а еще и мать убила.

– Косвенно, – сказал Джек.

Ему пришлось сдерживать себя, чтобы не прикоснуться к ней, не обнять ее. Он уже почти разрешил себе положить руку на плечо Памелы, но побоялся напугать ее.

Они прошли в дом через заднюю дверь. К Джеку кинулся черный лабрадор и уронил ему под ноги резинового Санта-Клауса.

– Это Билл, – представила Памела.

Джек погладил плюшевые уши собаки:

– Здорово, Билл.

На полу в маленькой подсобке стояла коробка с мусором; из нее выглядывало с полдюжины пустых бутылок от «Столичной». Джек спросил, одна ли она живет.

Памела пнула коробку:

– Одна, ну и выпиваю маленько, а то одиноко.

Джек почти обрадовался, что у нее есть изъян, – появилась надежда, что ей может понадобиться его помощь. Ему захотелось о ней заботиться. И вообще, подумал Джек, что-то я маловато пью. Он представил, как они вдвоем в Испании, например, может, даже на корриде. Она – Ава Гарднер, а он Эрнест Хемингуэй, они пьют и скандалят на людях. Джек спросил, нельзя ли рюмку водки. Он и целый стакан с радостью бы ухнул.

Памела с сожалением покачала головой:

– В доме ни капли. Все забываю купить, когда в деревню наведываюсь.

«Значит, не алкоголичка», – подумал Джек, и у него отлегло от сердца. Впрочем, пусть будет всем, чем пожелает. Ему плевать.

– Вино есть, – сказала она. – Но это же не выпивка, правда? Это скорее лекарство, раз эти чертовы врачи говорят, что можно по два стакана в день.

Все расселись за большим кухонным столом. Стол был завален книгами, газетами, счетами и последними предупреждениями. Али заснул почти мгновенно.

– Спекся на хрен, – посочувствовала Памела. – И чтобы уже никаких поездок в Лидс сегодня!

Джек подумал, не будет ли ее брань действовать ему на нервы, когда они поженятся. Она не слишком походила на женщину, которая покорно сносит критику.

– Почему Эндрю от тебя ушел, Пам? – спросил премьер-министр. – Другая женщина?

– Наверное, я ему надоела, – ответила Памела. – Я же такая надоеда, Эд. Поэтому и на вечеринки не хожу, я же там всем надоедаю до слез. Со мной даже поговорить не о чем.

Джек поклялся больше не ходить на вечеринки, никогда. Он желал сидеть дома, чтобы ему надоедала Памела.

– Я никогда не стряпаю, – сообщила Памела, – но продукты есть. – Она неопределенно кивнула на кладовку и холодильник. – Уверена, вы что-нибудь найдете.

Она закурила очередную сигарету и сказала Джеку:

– Вы же полицейский, правда? А меня на прошлой неделе обокрали.

– Что взяли? – спросил Джек.

– Как обычно, – ответила она. – Телик, видео, серебро, все мои драгоценности.

– А ты заявила в полицию? – спросил премьер-министр.

– Бесполезно. Сигнализация не работает, так что чертовы страховщики все равно не оплатят.

Джек хотел сказать, что готов снять все свои сбережения и купить ей драгоценностей взамен украденных.

Словно прочитав его мысли, Памела добавила:

– Я по бирюлькам не скучаю. И так есть чем заняться. Посмотрите на этот дом. У меня пять спален, две ванные, три гостиные и кухня, все завалено шмотками. Они у меня в печенках сидят. До самой смерти ничего больше не куплю. Все, что мне нужно, это белая комната, маленькая белая кровать, пепельница и немного книг.

Премьер-министр сказал:

– Ты описала тюремную камеру. И если дальше будешь водиться со своими непутевыми друзьями, там и закончишь.

Он открыл дверцу холодильника и заглянул внутрь. Там обнаружилась тарелка с красными яблоками, два стебелька зеленого лука, пакет с проросшей картошкой, банка сливок, кусок чуть заплесневелого сыра и разные сверточки в отсеке для молочных продуктов.

– Тебя послушать, так я анархистка, – заметила Памела. – Просто мы против всего, за что ты выступаешь, Эд.

Премьер-министр захлопнул холодильник и прошел в кладовку. Они слышали, как каблуки постукивают по каменному полу. Премьер-министр вернулся в кухню.

– Есть абсолютно нечего, а я голоден.

– Не ной, Эдди. Это мне напоминает наше жуткое детство.

– Мое детство было полной идиллией, – возразил премьер.

– Ты не с Дэвидом Фростом разговариваешь, – сказала она. – Это я, Памела, и я там была одновременно с тобой, не забывай.

– Можно пиццу заказать, – предложил Джек.

– «Домино» так далеко не развозят, а в деревне ни хрена нет. Она почти вымерла с тех пор, как Эд позакрывал почтовые отделения.

Премьер-министр возразил:

– Я их не лично закрывал, Пам, в этих сельских почтовых отделениях уже нет необходимости.

– А у меня есть! – заорала она. – Теперь чтобы сраную марку купить, надо в райцентр херачить!

Премьер-министр попросил:

– Памела, пожалуйста, не выражайся.

Пока Памела и премьер-министр гавкали и рычали над костями политических разногласий, Джек встал и начал собирать ужин. Он расчистил часть столешницы, нашел кое-какой кухонный инвентарь и принялся стряпать. Тщательно проштудировав книгу Делии Смит*, он освоил репертуар из семи дежурных блюд. Своим умением он хотел сразить и соблазнить Памелу. Он хотел продемонстрировать, как умеет печь пирог, натягивать палатку, гладить белые льняные рубашки, лавировать в лондонских пробках, решать кроссворды в «Индепендент» и попадать в яблочко из разных видов оружия – он мог убить террориста из скорострельной винтовки с расстояния пятьсот метров.

Джека поразило, что, когда влюблен, все происходит в точности как в песнях и книгах. Краски стали ярче, жизнь казалась полной удивительных возможностей. Джек вообще редко пел и уж совсем никогда не пел в компании до сегодняшнего дня, в машине, однако теперь на память ему пришли слова песни «Немножко нежности», и он вдруг поймал себя на том, что напевает: «В том же поношенном платьице...» Его никто не слышал. Али по-прежнему храпел, а премьер-министр с сестрицей все еще грызлись из-за успехов и неудач глобального капитализма и того, кому из них больше внимания уделял отец.

Когда пирог с луком был готов, Джек поставил его на стол перед Памелой как чашу святого Грааля. Она вознаградила его словами:

– Это же усраться можно, какая красота!

Он расставил другие блюда – жареную картошку и миску мятного горошка.

Памела открыла бутылку с натренированной легкостью и спросила:

* Делия Смит – автор чрезвычайно популярных поваренных книг, ведет кулинарное шоу на телевидении.

– Али пьет?

Джек разбудил Али, и тот сказал:

– С волками жить, иннит, – и пропустил полстаканчика.

Джеку было приятно, когда подъели всё до последнего кусочка.

По предложению Памелы Али позвонил жене и сказал, что сегодня ночью не приедет. Сальма ему не поверила, когда он объяснил, что заночует в сельской глуши, в доме рядом с какой-то псарней, поэтому он вынес телефон в прохладу апрельского вечера и дал ей послушать лай одиннадцати собак. Но Сальма не унималась:

– Али, не поступай со мной так. Ты же у другой женщины. Я знаю, кто она, это та толстая шлюха, которая работает в овощном магазине.

Али вернулся в кухню и обратился к Джеку:

– Поговорите с моей мадам, Джек. Объясните ей, что я на работе.

Джек взял трубку и поговорил с Сальмой. Он сказал ей, что если она разрешит, то он хотел бы привлечь Али еще на два дня.

Сальма сообщила:

– Мы с ним никогда не расставались больше чем на день, мне будет трудно. Вы должны позаботиться о моем муже, проследите, пускай он кушает вовремя, а то он такой забывчивый.

Джек обещал. Потом поблагодарил Сальму и вручил телефон Али.

Али предпочел бы спать в своей машине – водительское сиденье раскладывается, а в багажнике у него есть одеяло, но Памела и слышать об этом не хотела. Она отвела его на второй этаж и предложила на выбор одну из четырех спален. Али выбрал детскую. Там стояла кровать как раз ему по размеру. Роста Али был невысокого.

Премьер-министр был пьян. Так пьян, что все твердил Джеку и Памеле, что не пьян. Еще он бесконечно твердил, что любит их очень-очень сильно. Потом расплакался и сказал, что хочет к маме.

– Я ее не помню, Пам, – пожаловался он. – У меня в памяти была картинка, ее лицо и волосы, но потом я понял, что это вовсе не мама, а актриса Джин Симмонс*. Они у меня как-то перепутались. Мама ведь была полная, правда? Я помню, как ее увозили в больницу, и она была почти как Хэтти Жак**.

Памела возразила:

– Мама не толстая была, Эд, а беременная мной.

– А что, фотографий нет? – удивился Джек.

Памела сказала:

– Было несколько. Мама не любила фотографироваться. На всех снимках, которые я видела, она отворачивалась, поэтому лицо неясное. Эндрю забрал фотоальбомы.

– Зачем? – заорал премьер-министр. – Ведь она моя мать, а не его.

– В этом альбоме мамины фото вместе с Патси, его любимой лабрадоршей, – объяснила Памела.

– А какая была мама? – потребовал премьер-министр.

Памела ответила:

– Не знаю. Спроси кого-нибудь, кто ее знал. В доме престарелых возле Челтнема живет дядя Эрнест.

---

* Джин Симмонс (р. 1929) – классическая британская актриса и кинозвезда.

** Хэтти Жак (1924–1980) – британская актриса.

– Я хочу видеть его сейчас же, – объявил премьер-министр.

– Завтра, – сказал Джек.

Премьер-министр стянул с себя блондинистый парик. Его собственные волосы прилипли к черепу плоским блином. Памела и Джек, поддерживая премьера, отвели его на второй этаж в элегантно обставленную комнату. Премьер-министр настаивал, что разденется сам. Памела спросила:

– Тебе одолжить пижаму или ночную рубашку?

Джек сказал:

– У него в сумке есть ночная рубашка, я за ним присмотрю.

Вернувшись на кухню к Памеле, он увидел, что та открыла третью бутылку. Ей хотелось поговорить о брате.

– Ненавижу, когда люди наезжают на Эда, – сказала Памела. – Я-то сама не согласна практически со всем, за что он выступает, и я ненавижу, как он шестерит перед янки, но он мне брат, и я его люблю.

В десять она надела жилет и сообщила:

– Пора собак укладывать.

Джек отправился с ней. Уже много лет он не бывал в такой кромешной тьме. Он посмотрел вверх, ожидая увидеть звезды, и они были на месте – полное небо звезд.

– В городе звезд не видать, – сказал он.

Памела запрокинула голову.

– Это недостаточная компенсация за жизнь в чертовой деревне.

– Вам здесь не нравится?

– Нет, я горожанка. Эндрю меня похитил и привез сюда. Я и собак-то не особо люблю.

Она прошлась из комнаты в комнату, выключая телевизоры у собак и желая им спокойной ночи. Одиннадцать пар глаз наблюдали за ней. На пороге она повернулась и сказала:

– Утром увидимся.

Под покровом темноты Джек взял ее за руку и повел к дому, хотя не знал дороги. В кухне он спросил, не сварить ли кофе.

– Может, Эндрю оставил зерна, – сказала Памела. И добавила, словно вдруг поняла, что с его отъезда прошло три месяца: – Правда, они, наверное, уже староваты.

Они выпили кофе. Джек понимал, что ему надо идти спать. Памела давно уже зевала и несколько раз упомянула, что ей рано вставать из-за собак. Но Джек не мог от нее оторваться. Первой из-за стола встала Памела со словами:

– Я с ног валюсь.

Он извинился, что задержал ее.

– Джек, вы знаете китайскую пословицу «Через три дня рыба и гости воняют»? – спросила Памела.

– Знаю.

– Ну а мой личный горький опыт учит, что рыба и гости воняют уже через день.

– Не волнуйтесь, мы уедем еще до завтрака.

– Все равно я вам к тому времени надоем.

Это был отличный момент, чтобы признаться, что она ему очень даже интересна, но Джек промолчал, и Памела ушла. А Джек долго еще сидел за кухонным столом, стараясь привыкнуть к мысли, что теперь он живет в новой вселенной.

Глава восемнадцатая

Али проснулся от трелей мобильного телефона. Он открыл глаза и увидел, что лежит под пуховым одеялом, расписанным героями из мультика «Король Лев». Звонил Седек, его восьмилетний сын, и спрашивал, как называется самая длинная река на британских островах. Али сказал, что, возможно, Темза, только он не уверен.

С улицы доносились голоса. Али встал и выглянул в окно. Джек и Памела пристегивали поводки к ошейникам собак. Али открыл окно и спросил про самую длинную реку. Джек и Памела в один голос ответили: Северн.

Али сказал про Северн сыну, а потом по очереди поболтал с остальными детьми – про то, что ночью спал в чудесной спальне, которую приготовили для ребенка.

– Сгодилась бы для королевского ребенка, – сказал Али. – Тут есть все, что только может пожелать ребенок, кроме телевизора и видео.

Памела поделила собак: себе она взяла шесть, остальных поручила Джеку. Они зашагали прочь от дома по гравийной дорожке, и она закурила первую за день сигарету. Шум от лая стоял ужасный; собаки были плохо воспитаны и отказывались двигаться по прямой. Когда они добрались до конца дорожки, взошло солнце, и Памела прикрыла глаза темными очками, сдвинув их с затылка. Джек заметил, что волосы у нее перехвачены носком другого цвета.

– Далеко идем? – крикнул Джек, перекрывая лай.

– До деревни и обратно, – проорала Памела в ответ. – Мне курево нужно.

Автомобилей было очень мало, и они шагали по середине узкой дороги. Временами приходилось останавливаться и распутывать поводки. Джек любовался живыми изгородями и полевыми цветами. Сияло солнце.

– Это моя земля, – сообщила Памела. – Пришлось высаживать такие вот неприхотливые растения. Из питомника выписала – эти местные скоты фермеры все поубивали своими чертовыми химикатами.

– Значит, вы не ненавидите деревню? – спросил Джек.

– Я ненавижу то, что с ней сделали, – страстно ответила Памела.

Новенький оливкового цвета «лендкрузер», за рулем которого сидел мужчина с бакенбардами и в твидовой кепке, пронесся мимо, почти загнав их в канаву. Собаки не скоро успокоились, но наконец продолжили путь.

– Этот тип владеет соседним участком, – сказала Памела. – В прошлом году он на телевидении плакался насчет своих долбаных овец. Мол, они ему чуть ли не как члены семьи, и как ему больно, что уничтожают его поголовье. Зато полумиллионная компенсация, которую он выудил из Эда, быстренько осушила его слезы. Овец столько раз перегоняли с фермы на ферму, что они наверняка вообразили себя туристами.

Они подошли к Суэйл-он-де-Уолд. По взглядам, которые деревенские жители бросали на Памелу, было очевидно, что успехом она тут не пользуется. Она задержалась перед бывшей почтой. Двое мужчин прилаживали двухслойный лист ПВХ в проем окна вместо выбитого стекла.

Джек задумался, сможет ли он жить с человеком, в котором столько негодования и злости. Памела зашла в магазинчик «Спар», а Джек остался на улице с собаками. Она вышла с коробкой «Веста Чау Мейн»*. Джек сказал:

– Памела, вы должны приехать в Лондон, я отведу вас на Джеррард-стрит и угощу настоящим китайским обедом.

К его удивлению, она спросила:

– Когда?

– Как только верну Эда в дом Номер Десять.

– Джек, для меня совершенно очевидно, что Эд сгорел.

По пути назад, проходя мимо бывшей почты, они видели, как рабочий прибивает над входом кованую вывеску с надписью «Магазин *Старая Почта*».

•

Али сообразил, как растопить печь, и приготовил чай. Он рассказывал премьер-министру, почему никогда больше не станет голосовать за лейбористов:

---

* Производитель дешевых псевдокитайских продуктов.

– Сначала они выкинули эту уйму денег на выставку «Арсенал»*. Я хочу сказать, кому охота платить тридцатник, чтобы показать детям всякие разные ружья и мечи, иннит? А потом эта идиотская однорядная система на всех полосах общественного транспорта, и зачем понадобилось позакрывать все бассейны, ведь мой старший еще не успел получить свою бронзовую медаль?

Премьер-министр сидел, обхватив руками голову, внутри он буквально кипел. Ну почему британский электорат не способен различать обязанности центральных и местных органов власти?

Вошла Памела.

– Поздравляю, Эд, вчера ты классически надрался, на все сто.

Премьер-министр быстро заморгал и стал бормотать извинения.

Джек отправился наверх собрать вещи, по пути он миновал открытую дверь в детскую. На обратной дороге он заглянул туда. Мебель и игрушки были красивые и яркие, но ими явно уже пользовались. Джек открыл верхний ящик комода и обнаружил, что он полон самой разной одежды маленьких размеров. Он бережно задвинул ящик и, выходя, прикрыл за собой дверь.

Когда они уезжали, Памела была занята: некая дама с карибским загаром воссоединялась со своей собачкой. Джек расцеловал Памелу в обе щеки, втянул аромат ее духов и сказал, что сообщит насчет обеда.

---

* Выставка была открыта в Лидсе в Королевском оружейном музее.

Она одарила его такой открытой улыбкой, что Джека вдруг обдало жаром, и даже перспектива визита в дом престарелых к дядюшке Эрнесту, которому стукнуло восемьдесят один, не смогла остудить этот жар.

Джек попросил Али вести машину чуть помедленнее и показал спутникам луговые цветы, которые Памела посеяла вдоль обочин.

Премьер-министр вздохнул:

– Ах, Джек, нет ничего прекраснее, так сказать, английского пейзажа. Кроме Тосканы, конечно.

По полю, совсем рядом с дорогой, полз трактор. Из трубки над герметично закупоренной кабиной выплескивался во все стороны бледный туман; и прежде чем они успели поднять окна, туман заполз в салон и принялся разъедать глаза. Все трое зашлись в кашле. Не видя дороги, Али дал по тормозам и выключил двигатель. Мало того, что слезились глаза, еще и ветровое стекло затянуло матовой пленкой, с которой «дворники» не справлялись. Через четверть часа в полицейском управлении Челтнема зарегистрировали звонок от фермера из Суэйл-он-де-Уолд, который заявил, что его вытащили из трактора три праздношатающихся гражданина: высокий белый мужчина, блондинка-трансвестит и пакистанец. Дежурная, принявшая звонок, предупредила фермера об ответственности за ложный вызов: крупный штраф или лишение свободы.

Положив трубку, дежурная повернулась к коллеге:

– Еще один сдвинутый фермер звонил. Это все их химикаты.

Глава девятнадцатая

В регистратуре дома престарелых «Радуга», где едкий запах мочи мешался с ароматом промышленного дезинфицирующего средства, Джека с премьер-министром приветствовал владелец, Гарри Радуга, – в прошлом он, похоже, был боксером-тяжеловесом. Пока он энергично обменивался рукопожатиями с посетителями, о его брюки в тонкую полоску терся жирный черный кот.

– Это Чернушка, – представил его хозяин. – Жильцы его обожают.

– В жизни не видел такого жирного кота, – сказал Джек.

– Чудовище, – согласился Гарри Радуга. – Я прошу жильцов его не подкармливать, но они буквально убивают его своей добротой. В среднем нам тут кота хватает на год; всех зовут Чернушками, чтобы не оформлять заново разрешение на домашнее животное. Так вы насчет закрытия приехали?

– Нет, – ответил премьер-министр. – Мы к Эрнесту Миддлтону.

Гарри Радуга удивился:

– Его племянница Памела приезжает по воскресеньям, а больше никто не бывает. Грустно, в самом деле. Он ведь дядя премьер-министра, знаете ли. Но бедолага от племянника даже рождественских открыток не получает. Эрнест сильно переживает из-за закрытия. Неплохо бы его приободрить как-нибудь.

– А почему вы закрываетесь, мистер Радуга? – спросил премьер-министр. – Разве нет спроса на места в домах престарелых?

– Есть, только для нас с женой это все же в первую очередь бизнес, а, по правде сказать, прибыли от стариков никакой. Мне надо в неделю еще хотя бы пятьдесят фунтов на душу, чтобы наше с женой время окупалось. И еще этот новый закон вот-вот вступит в силу, все дверные проемы придется расширять на дюйм.

– А куда же они все денутся? – спросил премьер-министр.

Через приемный покой ползла стайка старух на ходунках.

– Эй вы, ходунки, а ну бегом марш! – гаркнул Гарри Радуга. Старухи вежливо захихикали. Гарри продолжил, понизив голос: – Не знаю, куда они денутся, а только через три месяца здесь будет частная клиника: наращивание груди, липосакция, вот где теперь деньжищи-то.

Он познакомил их с Лорен, сиделкой. Лорен внимательно изучила премьер-министра сквозь очки в зеленой оправе и спросила:

– Откуда я вас знаю? Общество борьбы с лишним весом?

Джек отвлек Лорен, спросив, нельзя ли увидеть Эрнеста.

– Увидеть-то можно, – сказала она, – только вряд ли он с вами станет разговаривать. Он в дурном настроении, господь с ним. Для них всех это закрытие ужасный удар.

Она провела их в просторную комнату, где в пластиковых креслицах с младенческими столами-загончиками осколками былого сидели старики.

– Заметьте, я очень переживаю за стариков, но мистер Радуга сказал, что частные пациенты – это очень даже выгодно, если мы будем их иногда баловать.

Большой телевизор показывал детскую программу. Четыре актера в костюмах основных цветов, раскачивая добродушно-жутковатыми головами, кривлялись под песенку про торт-объедение.

Лорен подошла к сухопарому старику с умным лицом, который был одет в костюм-тройку, и сказала:

– Эрнест, к вам посетители.

– «Визитеры», автор – Дейзи Эшфорд*, – сообщил Эрнест. – Превосходная книга. Рисковала оказаться утомительно наивной, но, полагаю, вышло неплохо.

– Иногда он несет чушь, – заметила Лорен.

– Очень смешная книга, – сказал Джек, обращаясь к Эрнесту.

– Дядя Эрнест, помните ли вы мою мать, вашу свояченицу, Хезер Клэр? – спросил премьер-министр.

– Она не могла быть вашей матерью, – ответил Эрнест. – У Хезер было только два ребенка. Один теперь премьер-министр, и вы явно не он, а другой – прекрасная Памела, но вы точно не она. Так кто же вы?

---

* Дейзи Эшфорд (1881–1972) – английская писательница, большую часть своих произведений написала до того, как ей исполнилось 15 лет; классик детской литературы.

Премьер-министр на миг погрузился в пучину сомнений. Кто же он?

На помощь ему пришел Джек:

– Это Эдвина, незаконнорожденная дочь Хезер Клэр.

Эрнест развеселился:

– Я не удивлен. Ваша мать любила пошалить; в тридцатые годы у нее был широкий круг общения, всякие музыканты, знаете ли.

Подобная информация мало вязалась с воспоминаниями премьер-министра.

– А у вас есть ее фотографии? – спросил он.

– В моей комнате, – ответил старик.

Они помогли ему выкарабкаться из кресла и проводили к лифту в коридоре. Пока ползли на третий этаж, Джек спросил:

– Давно вы здесь живете, Эрнест?

– Забыл. Все, что я знаю, это то, что пришлось продать дом, чтобы заплатить за пансион, а теперь все эти деньги кончились и я целиком завишу от государства.

Его комната была маленькая, но мило обставлена, с книжной полкой, полной книг, и старомодным проигрывателем.

Джек выглянул в окно и увидел, как Али борется с пестицидами, поливая машину горячей мыльной водой. Ведро этого снадобья он выпросил на кухне. Эрнест порылся в ящике и вытащил ворох фотографий.

– Вот тут довольно неплохой снимок Хезер, – сказал он, кладя выцветший прямоугольник на колени премьер-министру. – Зимой тридцать шестого.

Премьер-министр увидел красивую женщину с энергичным лицом, шагающую по булыжной мостовой в колонне бедно одетых бледных мужчин в кепках.

Джек, заглянув через плечо премьер-министра, сказал:

– Марш протеста Джарроу*. Они сделали привал в Лестере в обувном кооперативе. Мой дед был одним из тех, кто вызвался остаться после работы чинить им ботинки.

Премьер-министр изучал образ матери. Сигарета между пальцев правой руки, губы намазаны темной помадой, смешные высокие ботинки на шнуровке, осиная талия, возбужденно-блестящие глаза.

Эрнест протянул премьер-министру другую фотографию: Хезер стоит перед театральной тумбой и указывает на какое-то имя в центре афиши. Сигарета теперь зажата в левой руке. Премьер-министр попытался разобрать имя, но буквы были слишком мелкие.

– Она играла на ритм-гитаре в женском джаз-банде, – сказал Эрнест. – «Горячая семерка мисс Моники».

– На гитаре? Джаз? – поразился премьер-министр. – Нет, только не моя мама, ведь она была такая тихая и набожная женщина. Она не позволяла мне слушать популярную музыку.

Эрнест наклонился к своим костлявым коленям и вытащил из-под кровати коробку.

– Это еще до того, как она вышла за этого сталиниста Перси. – Он вынул из коробки грампластинку на семьдесят восемь оборотов в пожелтевшем

* Известный голодный поход рабочих из г. Джарроу в Лондон в 1930-е.

конверте, вручил ее Джеку и попросил завести проигрыватель.

Джек осторожно извлек из конверта древнюю пластинку, стараясь не прикасаться к поверхности диска.

– У вашей матушки тут неплохое соло, минуты через две с начала записи, – сказал Эрнест.

Несколько секунд шипения и треска, и комнату наполнила мелодия «Топота в Савойе». Мисс Моника так аранжировала музыку, что у каждой девушки был шанс блеснуть на своем инструменте, пускай и кратко. Когда началось соло на гитаре, премьер-министр нервно наклонился к проигрывателю, желая матери успеха.

Когда та закончила, премьер-министр захлопал и принял поздравления Джека, словно сам отыграл это гитарное соло.

Следующая фотография была прозаичнее. Мать стояла рядом с его отцом. На них были свадебные наряды. Мать в свадебном платье выглядела как задрапированная белым полотнищем колонна, перед животом она держала огромный букет цветов. Эрнест сообщил:

– Она тут уже на пятом месяце, хотя никто бы не догадался.

– Значит, Эдвард, ее первый ребенок, незаконнорожденный? – спросил премьер-министр.

– Внебрачный, – ответил Эрнест. – Но со стороны Перси было ужасно благородно, что он на ней женился, с учетом тогдашней морали.

Премьер-министр сказал:

– Что вы имеете в виду?

– Настоящий отец Эдварда – беженец по имени Шадрак Вайанский.

– О господи! – прошептал премьер-министр. – Это откуда же он родом?

– Из Чехословакии. Красивый был парень, черноглазый, с золотыми зубами, ножи точил по соседству. Ходил слух, что он из цыган-аристократов. Хотя, по-моему, он сам этот слух и распустил. Язык у него был здорово подвешен.

– Черт, – сказал премьер-министр. – Он еще жив?

– Не знаю, – ответил Эрнест. – Беднягу депортировали еще до «железного занавеса». Хезер расстроилась страшно, справки наводила, но все без толку.

По лбу премьер-министра тек пот. Джек вынул из кармана белый носовой платок и протянул ему. Премьер-министр вытер лоб, потом извинился и пошел искать туалет. Он обрадовался, что вокруг унитаза оказались поручни для инвалидов. Он сел и вынул из сумочки листок туалетной бумаги «Бронко».

Итак, откровения Эрнеста взорвали весь фундамент его детства. Он сын цыгана, в его венах течет кочевая кровь. А его мать, похоже, была сказочной женщиной. Как хочется узнать ее поближе! Он выбросил «Бронко» в корзину, оторвал кусок мягкой розовой бумаги от рулона на стене, высморкался и вытер глаза, затем взглянул в зеркало и поправил макияж. И даже не потрудился вымыть руки.

Агенты Кларк и Палмер знали о карьере матери премьер-министра в «Горячей семерке мисс Моники», но весть о его настоящем отце стала для них сюрпризом. Палмер постучал по клавиатуре ноутбука и через несколько минут выяснил, что Шадрак Вайанский еще жив и обитает в цыганском таборе на окраине Братиславы. По данным иммиграционной службы, он дважды пытался обосноваться в Великобритании, первый раз в 1951 году, когда бежал от советского коммунизма, второй – в 1998 году, когда дальше аэропорта Хитроу не попал, тщетно требуя убежища из-за того, что в Словакии его преследуют скинхеды. Судя по всему, он заявил иммиграционной службе, что является отцом их премьер-министра, и просил разрешения позвонить Эдварду, сыну, которого никогда не видел. Ему отказали.

Агент Кларк сказал агенту Палмеру:

– Знаешь что, Палмер. Я на папашу своего вообще не похож.

Когда премьер-министр ушел, Джек спросил:

– Эрнест, а есть у вас снимки Памелы?

Десять минут спустя даже его утомил нескончаемый поток фотографий, которые ему совал Эрнест. Вот Памела, просто красавица, сидит на коленях у Санта-Клауса, вот гребет в спортивных шортах на байдарке через Черные Камни, вот в форме скаута, вот откручивает с машины знак «Учебный» в день получения водительских прав, вот выходит замуж за Эндрю, высокого мужчину с бычьей шеей, который Джеку с первого взгляда не понравился.

Когда премьер-министр вернулся в комнату, раздался звонок.

– На обед зовут, – объяснил Эрнест.

Джек помог Эрнесту собрать фотографии, не преминув похитить одну из них. Он сунул карточку в карман, толком не зная, какую именно украл. Увидит, когда останется один.

Премьер-министр действовал прямее. Он спросил Эрнеста, нельзя ли взять фотографию матери.

– Забирай все три, я скоро умру.

– Дядя Эрнест, вы можете прожить еще двадцать лет, – возразил премьер-министр.

– Если повезет, мой друг, через пару недель умру, – ответил Эрнест.

К лифтам вилась очередь из стариков, поэтому Джек с премьер-министром снесли Эрнеста вниз по лестнице в столовую на руках и усадили за круглый стол на шесть едоков.

Лорен и остальные сиделки сновали по залу, расставляя тарелки с водянистыми тушеными овощами и мясом.

– Я не буду вам мешать обедать, ладно? – сказал премьер-министр.

– Не собираюсь я обедать, – ответил Эрнест. – Вообще никогда больше не стану есть. Скажу вам по секрету: я уже два дня не ем. Решил уморить себя голодом.

Он взял тарелку с едой, с трудом наклонился и поставил ее на пол. Чернушка не заставил себя ждать, подошел вразвалочку и начал аккуратно вылизывать переваренную пищу.

Джек сказал, что хочет размять ноги, и пошел прогуляться вокруг здания. Он понял, почему Эрнест не хочет отсюда уезжать: сад был чудесен, с нарциссами и крокусами, которые сияли в траве, под вековыми деревьями. Джек сел на деревянную скамейку с медной табличкой «С любовью, в память Элси Стаффорд, которая была здесь счастлива». Он вынул из кармана похищенную фотографию. Сначала он не узнал Памелу: два полисмена в форме волокли ее по деревенскому лугу, а на заднем плане виднелись свора псов и охотник на лошади. Всадник удивительно смахивал на принца Чарльза.

Джек позвонил Памеле, потому что хотел услышать ее голос. В трубку прорывался лай собак и мужской голос.

– У вас гости? – спросил Джек.

– Это мой сосед, Дуглас. Сегодня с ним случилось что-то ужасное. Он никого не трогал, спокойно опрыскивал пестицидами край поля, и тут ни с того ни с сего неизвестный горожанин вытащил его из кабины и швырнул в сточную канаву, где его словесно оскорбляли какой-то трансвестит и пакистанец.

Джек понял, что она очень старается не рассмеяться.

Он сообщил ей, что ее дядя Эрнест решил уморить себя голодом.

– Дурак он, – вздохнула Памела. – Я ему предлагала переехать ко мне, чтобы я за ним присматривала, а он говорит, у него, мол, фобия на собак, с тех пор как прочел «Собаку Баскервилей».

Джек хотел сказать, что любит ее, но мешало незримое присутствие пострадавшего соседа. Памела сказала, что ей пора – приехали за пуделихой по кличке Харри.

Он снова посмотрел на фотографию, пытаясь отыскать причину, по которой об этой женщине следует забыть. Ее взгляды на жизнь разительно отличались от его взглядов. Раньше он считал лис вредителями, а теперь начал понимать точку зрения лис.

Джек вспомнил лисью накидку, которой мать оборачивала шею зимними утрами. Он всегда ненавидел взгляд этих стеклянных глаз. Он позвонил Норме, но ответа не было. Надо спросить у премьер-министра, нельзя ли заехать в Лестер по дороге в Лондон.

Али крикнул ему, что они готовы двигаться в путь. Премьер-министр уже сидел на заднем сиденье, бережно держа пластинку «Топот в Савойе» – точно пакет с нитроглицерином, готовый взорваться.

– Эд, нельзя сидеть и держать ее так два дня, – сказал Джек.

– Но ведь эти пластинки из винила такие хрупкие, – пожаловался премьер-министр.

Али оскорбленно развернулся к нему:

– Слушайте, если вы хотите что-то сказать насчет того, как я вожу, иннит, то когда мне было одиннадцать лет, я по всему Исламабаду водил фургон, полный яичек, и ни одного яичка не разбил, ни разу!

На взгляд Джека, Али явно преувеличил свое водительское искусство, но говорить он ничего не стал.

Спросив у премьер-министра разрешения, Джек велел Али свернуть налево, на шоссе А46, ведущее к Лестеру.

– Можете доверить мне вашу драгоценную пластинку, – успокоил Али. – Просто положите на сиденье рядом с собой, и Аллах ее сохранит.

Премьер-министр сделал, как велели. Он подумал, что из Али вышел бы сильный партийный деятель.

Через несколько миль к Али вернулось доброе расположение духа, и атмосфера в машине разрядилась. Премьер-министр предложил:

– Может, где-нибудь остановимся и выпьем? Я готова уговорить кампари с содой.

– Эд, правильное выражение – «уговорить бутылку», – назидательно произнес Джек.

– Стратфорд скоро, – отозвался Али. И добавил: – Там Уильям Шекспир родился, кстати.

– Вы еще нам расскажите, что премьер-министр живет на Даунинг-стрит, – раздраженно сказал Джек.

Али торжествующе рассмеялся:

– Уже не живет. Говорят, он в ядерном бункере живет, но, по-моему, он помер.

– Помер? – удивился премьер-министр.

– Ну да. Наверное, пытался ходить по водам и утонул.

Премьер-министр выдавил из себя смех вместе с остальными.

– Мой старший сын, Мохаммед, готовится по Шекспиру к экзаменам за среднюю школу.

– А как он сдал промежуточные экзамены? – заинтересовался премьер-министр.

– Не говорите мне про экзамены, – взмолился Али. – У меня все дети поседели, так переволновались.

– А над какой пьесой Шекспира он работает? – спросил премьер-министр.

– Не над пьесой. Это сонет, типа стишков, – заботливо пояснил Али и признался, что иногда и сам пишет стишки.

Стишки у него, конечно, не очень, он бы никогда их никому не показал, кроме жены. Обычно он этим занимается вечером, когда дети уже легли. Жена купила ему тетрадь и пенал, и все это хранится на полке в старом шкафчике под электросчетчиком в прихожей. Он стал писать, когда Мохаммед прочел ему стихотворение, которое насмешило и его самого, и Али, стишок тот написал один тип, он еще не умер, Саймон Армитадж*, живет где-то рядом с Лидсом. Знаменитый, между прочим, парень. Али обрадовался, что Джек о нем тоже слыхал. А вот Эдвина, то есть чувак в блондинистом парике, не слыхал. Поэтому Али ему объяснил, что этот малый, Армитадж, пишет про обычные вещи, вот и Али тоже сочинил стих про свое такси, в котором сравнил автомобиль с ковбойским скакуном. Для книжки, конечно, не годится, но жене понравилось, она переписала стих своим красивым почерком и послала его отцу в Пакистан.

Джек, нахмурившись, смотрел через дорогу на домик Анны Хатауэй**, перед входом в который по дорожке туда-сюда бродили табуны туристов.

– Не понимаю, – изрек премьер-министр.

Джека покоробило, что премьер-министр произносит «не» как «нэ». Теперь он замечал это намного чаще, чем раньше, – ведь они уже друг другу глаза мозолили семь дней.

– Что не понимаете? – спросил Джек.

– Вашу антипатию к домикам под соломенной крышей, – пояснил премьер-министр.

– Они чертовски элегантны и самодовольны. Ладно, давайте пить.

– В детстве я мечтал быть актером, – сказал премьер-министр.

---

* Саймон Армитадж (р. 1963) – поэт, драматург и писатель.

** Анна Хатауэй – жена Уильяма Шекспира.

Они с Джеком сидели в «Грязном утенке» в Стратфорде-на-Эйвоне. За столиком рядом обедала группа актеров.

– Говорят же, что политики – это просто скверные актеры, – рассмеялся Джек.

Премьер-министр скорбно взглянул на него:

– Кто говорит, Джек?

– Люди!

– Но кто именно? – напирал премьер-министр.

Джек ответил:

– Это просто метафора.

– Но ведь политики не сквернее остального населения, – возразил премьер-министр.

Джек устало пояснил:

– Соль шутки в том, Эд, что политики по своей сути – актеры.

Али смотрел в мозаичные окна сувенирной лавки в торговом центре. На следующей неделе день рождения старшего сына, и Али купил ему тенниску с Уильямом Шекспиром, но теперь его одолели сомнения: ну какой пятнадцатилетка захочет светиться в футболке с портретом старого лысого мудака, иннит? И ведь не купишь же подарок одному Мохаммеду, правда? Другие тоже ждут подарков.

Премьер-министру нравилось сидеть в «Грязном утенке»; на столике стояли кампари и содовая. Он не сомневался, что мать одобрила бы его: он ведь выпивал за обедом, да еще в компании театралов.

Какой-то актер со знакомым лицом в оспинах наклонился к нему:

– А вы не Виктория Ротерхайд? Мы, часом, не играли вместе в «Афише» в 1988 году? Я – Гай Сазерленд.

Премьер-министр быстро захлопал ресницами и ответил:

– Привет, Гай, я Эдвина Сент-Клэр.

– Ну конечно, это вы, у меня кошмарная память на имена, – признал Гай. – Ведь это ваших детей тогда похитили, а я был маньяком.

Другие актеры за столиком засмеялись, один из них сказал:

– Опять кастинг проводишь, Гай.

Премьер-министр кокетливо спросил:

– Можно к вам подсесть?

Ему хотелось ненадолго улизнуть от Джека и побыть с себе подобными. В конце концов, театр у него в крови. Джек в последнее время ведет себя как угрюмый подросток, и он такой циник – ну кто еще скажет, что домик под соломенной крышей – это не очаровательно?

Он уселся рядом с Амариллис, темноволосой актрисой с бездонными черными глазами и в затейливо неряшливом одеянии.

– Вы, наверное, здесь на пробах, – сказала Амариллис. – Вы ужасно похожи на Эдварда Клэра.

Джек взглянул через стойку и увидел, что премьер-министр смеется, запрокинув голову и выставив кадык. Джек нахмурился. Он предупреждал премьер-министра, что не следует делать этого, ведь это грозит мгновенным разоблачением. Но хоть смеется, и то ладно.

Премьер-министр и Амариллис обменялись историями жизни. По словам премьер-министра, он изучал актерское искусство у Хелен Миррен и жил на одной квартире с Саймоном Кэллоу*. Раньше со-

* Саймон Кэллоу (р. 1949) – актер и театральный педагог, автор книги «Что значит быть актером».

стоял в труппах в Ноттингеме и Бристоле, работал в основном на телевидении и в кино, но театр для него – первая любовь:

– Чувствуешь, так сказать, что публика придает смысл твоей жизни.

Джек заметил, что один из актеров за столом отвернулся и сунул пальцы в рот, изображая рвоту.

Напротив паба, в крошечном кабинете распорядителя сцены Королевского Шекспировского театра, сидел сэр Дигби Прист, прославленный театральный режиссер. Через три дня он должен был начать репетиции пьесы «Жизнь и духовная смерть Эдварда Клэра», которую написал Уэйн Спэрроу, левацкий драматург, расхваленный критиками за дебютную пьесу «Пердун».

Спэрроу получил заказ за три года до этого, но срывал срок за сроком и вот наконец позавчера вечером представил пьесу о Клэре. Он был либо пьян, либо нанюхался, и пробормотал:

– Вышло просто говно, и всего на двадцать семь минут. У меня распад личности.

Прочитав рукопись, сэр Дигби задумался, не нанять ли людей, чтобы переломали Спэрроу ноги. В юности Дигби помогал дяде развозить молоко и до сих пор сохранил связи в хулиганском Ист-Энде.

Однако брошюру с рекламой спектакля уже отпечатали, и афиши уже расклеили по всему Стратфорду, так что шоу должно продолжаться.

Дигби все еще искал актера на главную роль. Он листал страницы «Прожектора», отчаянно рассматривая фотографии ведущих актеров – не похож ли кто-нибудь на премьер-министра? Зачем эти скоты публикуют по двадцать лет фото одних и тех же актеров? Он уже опробовал на ведущую роль ветеранов битвы Эль-Аламейн*, черт побери!

Когда он выходил из репетиционного зала, позвонила агент по подбору актеров и сказала, что подошлет пару кандидатов на Эдварда Клэра, но у одного сложности с графиком из-за работы на телевидении, а другой чуток коротковат, хотя готов играть в обуви с прокладками.

Дигби спросил:

– Насколько коротковат?

– Почти метр пятьдесят пять.

– Ему, на хрен, не прокладки нужны, милочка, а стремянка! – заорал Дигби.

Телефон снова зазвонил. Это была Амариллис, которая однажды играла у сэра Дигби в «Трамвае “Желание”». Бланш из нее вышла кошмарная, из-за южного акцента казалось, словно она прямиком из Уэльса.

– Дигби, дорогуша, – проворковала Амариллис, – в «Утенке» сидит вылитый Эдвард Клэр. Это женщина, но она мужчина.

Сэр Дигби вынул щеточку из сумки, которую всюду таскал с собой, причесал волосы и козлиную бородку. Он только что развелся и надеялся найти женское общество. Пока он торопливо переходил улицу, его приветствовали или, по крайней мере, узнали почти все, попавшиеся ему на пути. В интервью он часто говорил о своей «непреодолимой потребности в уединении», но яркая внешность Фальстафа и гулкий голос, как ни трагично, не давали ему смешаться с толпой. Брайан Блессед однажды изрек: «Я просто обожаю этого милого Дигби, но, боже, до чего же его много».

---

* Сражение антифашистской коалиции с немецкими войсками за г. Эль-Аламейн (Египет) в июле 1942 г.

Джек видел, как сэр Дигби Прист вошел в бар. Он читал опубликованные дневники Приста, поэтому у него возникло чувство, что он знает этого человека. Джек вскинул руку в приветственном жесте, но тут же опустил, сообразив, что Прист ему, собственно говоря, чужой человек. Интересно, что заставляет мужчину на шестьдесят пятом году жизни влезать в джинсы, ковбойские ботинки, футболку «Роллинг стоунз» и черный кожаный пиджак? – подумал Джек.

Он смотрел, как сэр Дигби расчищает себе путь к премьер-министру.

Дигби сразу понял, что существо в цыганском платье и дешевом парике блондинки стопроцентно годится на роль премьера.

Амариллис представила их друг другу, сэр Дигби прогудел: «Свалите, быдло», и актеры покорно поплелись в другой конец зала.

Сэр Дигби взял руки премьер-министра в свои лапищи. Затем глубоко-глубоко окунулся в глаза премьер-министра и произнес, как он считал, конфиденциальным шепотом, хотя Джек, сидевший у стойки, отчетливо услышал:

– Я вполне привык к транссексуалам, дружочек. Моя первая жена была мужчиной. Я закончил католическую школу, так что ничего не знал о женщинах и с сексуальной точки зрения был где-то недоделок, но на дворе стояли шестидесятые, и никто не хотел признаваться, что меньше других в курсе насчет женского тела, поэтому я решил, что у моей первой жены, нежной и милой Кассандры, клитор просто больше обычного. Однако бедняжка была в отчаянии, потому что на самом деле это был мужчина с абсурдно маленьким пенисом. Я оплатил ей операцию, и агония нашего брака какое-то время продолжалась, но однажды вышел жуткий скандал просто из-за чепухи: она воспользовалась моей кисточкой для бритья, а прополоскать забыла, и мы развелись. Но расскажите мне о себе, мой друг.

Премьер-министр вкратце поведал о главных вехах своей карьеры: самоубийца в «Несчастном случае», инспектор в «И пришел инспектор», Гвендолен в «Как важно быть серьезным»*...

– ...но я всегда мечтала работать в Шекспировском, – закончил премьер-министр, вдруг вспомнив, что был рожден для роли Генриха Пятого.

Пока премьер-министр говорил, Дигби изучал каждое движение его лица, вслушивался в каждый нюанс голоса – эдакая смесь неуверенности и властности. Дигби попытался успокоиться. Ему уже приходилось бывать в такой идеальной ситуации, когда Сильвестр Сталлоне почти согласился играть Боттома во «Сне в летнюю ночь». Дело кончилось слезами, когда агент Сталлоне потребовал включить в контракт условие, что Сталлоне имеет право убить этого дерьмового лебедя, если тот посмеет к нему приблизиться. Когда Дигби позвонил в Лос-Анджелес и сообщил, что лебеди в Стратфорде – собственность королевы и охраняются законом, агент завопил:

– Тогда никаких контрактов! А то ты не знаешь, что сраный лебедь может человеку руку откусить?

Сэр Дигби сказал премьер-министру:

---

* «Несчастный случай» – мыльная опера, действие которой разворачивается в больнице; идет на британском телевидении с 1986 г. «И пришел инспектор» – пьеса по роману английского писателя Дж. Б. Пристли. «Как важно быть серьезным» – пьеса О. Уайльда.

– На Шекспира у меня не встает. Я делаю только современные пьесы живых авторов. Я хочу попробовать вас на главную роль в пьесе «Жизнь и духовная смерть Эдварда Клэра».

– На главную? – повторил премьер-министр.

– Вы сверхъестественно напоминаете нашего достопочтенного лидера, и голос у вас удивительно похож. Вы свободны?

– Да, – ответил премьер-министр. – В настоящее время я на отдыхе.

– Тогда пойдемте глянем, как вы смотритесь в костюме, ладно, друг мой?

– Черт, – сказал премьер-министр. – Это прямо-таки волнительно.

Джек проследовал за сэром Дигби и премьер-министром в зал репетиций. Он позволил представить себя в качестве агента премьер-министра, и его неохотно впустили в зал, где должны были состояться пробы. Костюмерша увела премьер-министра, и через десять минут он появился на сцене в синем костюме, белой рубашке, красном галстуке, туфлях на шнурках и с собственными волосами. Небольшая группа театральных рабочих невольно зааплодировала, когда премьер-министр робко вышел на сцену.

Сэр Дигби расхаживал по залу, отдавая премьер-министру указания: премьер-министр должен был смеяться, плакать, злиться, беседовать с Господом, обращаться к ООН, притворяться псом, петь, танцевать, изображать десятилетнего мальчика.

Джека корежило от смущения. На его взгляд, премьер-министр совершенно не мог играть себя самого. И он понятия не имел, куда девать руки. Однако через несколько минут совещания со своим помрежем и остальным составом режиссерской группы сэр Дигби объявил, что премьер-министра ждут на репетицию в десять утра в понедельник. Он обратился к залу дрожащим от волнения голосом:

– Это охеренно важная пьеса. Она о духовном разложении политического лидера и его капитуляции перед американским империализмом.

Премьер-министр нервно посмотрел на Джека и сказал сэру Дигби:

– Я должен поговорить с моим агентом, разумеется, но боже, до чего же мило с вашей стороны доверить мне эту роль!

Тем временем Али в одной из бесчисленных стратфордских сувенирных лавок погрузился в английский мир детской иконографии. Со всех сторон его окружали Винни-Пух, Ослик Иа, Кролик Питер, Медвежонок Руперт, Томас-Паровозик, Толстый кондуктор, Нодди, Ушастик*, Алиса в стране чудес, Безумный Шляпник, Жаб из Жабьего поместья, Крыс, Барсук и Крот. Али потел в нерешительности. Согласится ли трехлетняя Арифа на Винни-Пуха вместо Медвежонка Руперта? Не раскричится ли Седек из-за плавающей мыльницы Нодди? Обидится ли мадам, если он купит ей плюшевого Жаба из Жабьего поместья? (Али наедине называл жену Лягушечкой – из-за того, что в конце девяностых у нее были проблемы с щитовидкой, но теперь, слава Аллаху, все позади.) Хассине, старшей дочери, тринадцать, ей в любом случае не угодишь, но, может, она не станет возражать против Кролика Питера...

* Нодди, Ушастик – персонажи из детских книг Энид Блайтон.

Глава Двадцатая

Норма проснулась, полежала минутку и вспомнила, что сегодня большой день. Она отбросила тяжелые одеяла – теперь уже можно кое-что теплое и убрать, потому что в комнате чудно, как летом. После переезда Джеймса она согласилась держать отопление включенным круглые сутки. Это было смелое решение, однако Джеймс верно сказал: «Счет за электричество приходит раз в квартал, а мы, может, завтра умрем».

Норме нравилось, что он всегда говорил «мы», всегда имел ее в виду, словно они товарищи по делу и жизни. Она полюбила Джеймса. Она знала, что ее любовь никогда не сможет стать *такой*, – ведь ей семьдесят один, а ему нет и двадцати. Впрочем, в шоу Джерри Спрингера показывали пару, и они уверяли, что счастливы, хотя он лысый и пускает слюни, а ей всего шестнадцать, и она чуть тормозит, бедняжка.

И вообще она рада, что больше не приходится заниматься *этим. Это* ей нравилось только с Тревором, а он ей не часто докучал. На Рождество, Пасху, в неделю Блэкпулского салюта[*] и еще изредка, когда выпьет как раз в меру. Чуть недобор – и он робел, чуть перебор – ему уже не хватало твердости.

Ее любовь к Джеймсу была чистой, но более волнующей, чем любовь к Стюарту, Ивонне и Джеку. Кроме того, Джеймс нуждался в ее помощи. Он ей как бы товарищ по жизни и бизнесу и, как только излечится от крэка, повезет ее в путешествие за границу. Сначала в круиз, просто чтобы она привыкла, ведь она ни разу еще не выезжала из Англии, хотя они с Тревом и планировали отпуск в Диснейленде, но потом Трев упал с крыши. Если путешествовать на приличном корабле, где все разговаривают поанглийски, то это все равно как Англия, рассказал ей Джеймс.

Они вместе прибрались в доме; Норме нравилось, чтобы гости приходили в чистоту и порядок. Потом Джеймс сказал: «Давай кое-что сварганим, мать». Он отвел ее в кухню и усадил. Вынул из ящика серванта рулон алюминиевой фольги и выстлал ею стол. Потом нашел противень, пирексовую миску, маленький молочник, рулон тонкой пищевой пленки, большую металлическую ложку, острый нож, банку из-под колы и дырокол. Через несколько минут стол преобразился в лабораторию алхимика. Норма наблюдала за Джеймсом, как в детстве наблюдала за матерью, а он просеял и смешал в пирексовой миске немножко белого порошка, чуток двууглекислой соды и несколько капель воды, потом взял маленький молочник и нагрел смесь, пока она не начала клокотать и пузыриться.

---

[*] Осенний приморский праздник.

Сэр Дигби не желал отпускать свое поразительное открытие без твердого обещания.

– Эдвина, остановитесь в Стратфорде у меня. Я снимаю чудный домик под соломенной крышей. Сегодня мы могли бы поработать над сценарием. Я сам кое-что откопал и, мне кажется, вычислил нашего знаменитого премьера.

– А каковы ваши собственные политические взгляды? – спросил премьер-министр.

Сэра Дигби этот вопрос удивил. Его имя регулярно появлялось сразу после имен Пейлина* и Паксмана в петициях и открытых письмах по всем мыслимым радикальным вопросам – от тюремной реформы до войны в Ираке.

– Боюсь, я жуткий противник истеблишмента. В прошлом году меня выкинули из Совета по культуре за то, что я пытался запустить волну в палате лордов.

Джек засмеялся.

Сэр Дигби брюзгливо пояснил:

– Знаю, это почти то же самое, что ложиться под танк, только таких возможностей в нашей стране немного. – Он почти сожалел об этом. – Эдвина, вместе мы могли бы сделать нечто новое, мы могли бы свалить правительство Клэра. Пожалуйста, обещайте, что будете играть Эдварда Клэра.

Тогда Джек сказал:

– Мы с Эдвиной должны это обсудить. Мы с вами свяжемся, не звоните нам, сэр Дигби, мы вам позвоним сами.

---

* Майкл Пейлин (р. 1943) – английский писатель, актер, драматург.

Потом Джек сопроводил премьер-министра туда, где Али поставил машину, включив аварийные огни, – на двойной сплошной линии. Прежде чем они отъехали, сэр Дигби сунул в открытое окно машины копию сценария со словами:

– Мы почти уговорили Шарон Стоун на роль Адель. Она чуть вредничает из-за накладного носа, но я уверен, что когда она примерит разные...

Джек скомандовал: «Вперед, Али», и машина медленно влилась в поток автотуристов, покидающих Стратфорд.

Премьер-министр принялся читать вслух куцый сценарий Уэйна Спэрроу. Одна из самых живых сцен происходила в Овальной комнате Белого дома, где премьер-министр Великобритании и президент Соединенных Штатов боролись нагишом у камина; победителю доставалась сомнительная честь отдать приказ обрушить град ракет на главные города во всех странах «оси зла».

Джек отметил:

– Спэрроу явный поклонник Лоуренса. Я потребую, чтобы сэр Дигби удвоил оплату, если он хочет, чтобы вы светили задницей, Эд.

– Похоже на фильм, который моя мадам смотрела на днях, – сказал Али.

В другой сцене Спэрроу одевал премьер-министра пуделем и заставлял прыгать через горящий обруч в вытянутой руке статуи Свободы. Все диалоги пестрели площадной бранью и словами-паразитами.

Когда Джек взял сценарий и зачитал какой-то монолог, Али возмутился:

– Джек, разве вы не читали объявление у меня на щитке: «Ругаться запрещено»!

В последнее время агенты Палмер и Кларк с нетерпением ждали выхода на работу и очень неохотно сдавали дела ночной смене. Они вызвались работать круглосуточно, даже есть и пить в кабинете, но начальник отказал им, сославшись на «Положение о гигиене и безопасности труда». Они полюбили свои объекты наблюдения и громко болели за Джека, когда тот вытащил фермера с бакенбардами из кабины трактора и задал ему взбучку.

Они следили за автомобилем Али, пока он двигался по шоссе А46 к Лестеру, куда Джек собрался заехать навестить мать. По данным разведки, в последнее время в ее доме и вокруг него развернулась необычная активность, но кадры, отснятые камерами внешнего наблюдения, были нечеткие. Агенты проверили «мерседес», который несколько дней назад припарковали у дома двое коротышек в капюшонах и мешковатых штанах. Номерной знак принадлежал владельцу сети спортивных магазинов в Рединге; автомобиль был угнан со стоянки «Розовый слон» в аэропорту Стэнстед и в розыск пока не объявлялся.

Адель и Люсинду везли по Харли-стрит. За их машиной ехала вторая, в которой сидели телохранитель Адель, сержант Сандра Локк, и ее коллега – сержант Джон Харви.

Адель до сих пор не нашла себе идеального носа ни в брошюрах, ни в Интернете. Эта тема – новый нос для Адель – уже начала утомлять Люсинду. Она надеялась, что эстафету подхватит сэр Найджел Хэмблтон. Прием им назначили на семь вечера, поэтому они выехали за час с лишним, чтобы без опоздания преодолеть это короткое расстояние – буквально два с половиной километра от Даунинг-стрит до Харли-стрит. Однако в нескольких местах маршрута образовались пробки. У Адель было достаточно времени понаблюдать толпу на площади Пикадилли, пока они объезжали туристическую ось мира. Она взглянула на Эроса и увидела, как он юн. Просто влюбленный подросток, а под ним, на ступенях, сидели другие подростки с прекрасными лицами, и в их глазах отражались неоновые огни. Мальчик, удивительно похожий на Моргана, сидел, положив руку на плечи чернокожей девушке в камуфляжном жакете и брюках хаки, но это не мог быть Морган – тот вызвался убаюкать Поппи, а потом примется за сочинение о детском труде.

Люсинда зевнула и попробовала думать о том, как выставить счет за свое рабочее время. Если сантехнику она платит 65 фунтов в час, обоснованно ли считать ее время по ставке 150 фунтов в час? В конце концов, она десять лет училась.

На площади Кавендиш автомобиль опять встал как вкопанный. На газонах возвели палатки, разномастные лампы освещали деревянные тротуары, люди в вечерней одежде показывали приглашения охранникам в смокингах. Адель увидела несколько знакомых лиц и почувствовала обиду, что ее не пригласили, и неважно, что тут происходит. Люсинда пробормотала:

– Благотворительный вечер на постройку колодцев в Свазиленде.

Автомобиль медленно полз вперед, и Адель попросила водителя позвонить секретарю сэра Найджела Хэмблтона и передать ему, что супруга премьер-министра торчит в пробке.

– Как бы вы отреагировали, если бы я вам сказала, что намерена уйти в отставку с неоплачиваемой добровольной должности – супруги премьер-министра? – спросила она у Люсинды

– Вы, значит, надумали развестись с Эдом? – уточнила Люсинда.

– Нет, – ответила Адель, – просто хочу попробовать не выполнять эту работу.

– Пока ваш новый нос можно будет показывать на людях, пройдет месяца два, не меньше. Вам нужно уехать, Адель, куда-нибудь, где тепло, и взять с собой Поппи. Не работайте, толстейте себе на здоровье. Мы, женщины, из кожи вон лезем, а ради чего? Я имею в виду, какой во всем этом смысл, Адель?

Сэр Найджел ждал их в приемной своего консультационного кабинета. Он часто видел этот печально известный нос на фотографиях и в кино и как-то буркнул жене:

– Боже, Бетти, вот бы мне до него добраться.

И вот – пожалуйста. Сэр Найджел едва сдерживался, чтобы не наброситься на знаменитый нос сразу, ощупать его контуры, осмотреть хрящи и оценить ноздри. Он провел Адель и Люсинду в свой кабинет, где изысканно поболтал о реконструктивной хирургии. Недавно он починил перегородку одному второстепенному члену королевской фамилии, потому что нос у того втягивал кокаина больше разумного.

Наконец настал момент, когда все трое обратились к причине визита Адель. Сэр Найджел предотвратил все возможные неловкости, зайдя в дебри науки и технологии.

Он измерил и выверил нос Адель до энной степени. Обследовал его внутри при помощи маленького фонарика на гибкой трубке. Закидал Адель вопросами по поводу носа. Затем он притворился, что взвешивает все плюсы и минусы назальной реконструктивной хирургии, и предположил, что Адель – весьма подходящий кандидат для такой хирургии. Он спросил ее, не хочет ли она какой-либо конкретный нос.

Адель сказала:

– Хочу, чтобы он был гораздо меньше, что-нибудь как у Барбры Стрейзанд.

И сэр Найджел ответил:

– Думаю, мы сделаем лучше, миссис Флорэ-Клэр.

Он усадил ее перед компьютером и велел сидеть совершенно неподвижно, потом постучал по клавишам, и на экране появилось лицо Адель. Тогда он стал накладывать на нос Адель носы из каталога. Ей очень понравился нос Клеопатры – он придавал ей вид уверенный и властный. Софи Лорен не годилась – слишком маленькие получались глаза, хотя сам по себе нос был красивый. Грета Гарбо была идеалом. Адель его и заказала, настояла на том, чтобы уплатить задаток, и спросила, можно ли получить нос прямо завтра.

Сэр Найджел сказал, что придется переиграть график работы. Он обещал заняться ею прямо с утра и велел после полуночи ничего не есть и не пить.

Морган снял карусель с кроватки Поппи. Раз ему поручили уложить ее спать, то делать он это будет на своих условиях. Она лежала на спине и наблюдала за ним через деревянные прутья кроватки. Он подвинул низенький стульчик и начал рассказывать Поппи вечернюю сказку:

– Как-то раз, давным-давно, в 1856 году, родился в Шотландии мальчик по имени Кейр Харди*. В восемь лет он бросил школу и пошел работать. А в возрасте десяти лет уже работал в шахте. Вдумайся, Поппи: десятилетний ребенок трудился в темноте, глубоко под землей. Он выучился в вечерней школе и стал журналистом, а потом баллотировался в парламент, как папа. Он образовал Независимую лейбористскую партию.

Поппи захныкала. Она сбросила одеяла и замолотила ручками и ножками в мятно-зеленых ползунках. Моргана поразило, как быстро она завела себя до уровня истошного крика, в полный рот, он не смог это долго вынести, вернул на место американскую карусель и завел механизм.

Подъезжали к Лестеру. До Лондона оставалось сто миль.

– Не хочу домой, Джек, – сказал премьер-министр. – Может, удастся продлить выходные?

– Для меня это не выходные, – заметил Джек. – Я на работе.

---

* Кейр Харди (1856–1915) – профсоюзный активист, первый рабочий представитель в Британском Парламенте, один из основателей Независимой рабочей партии (1893), ставшей впоследствии Лейбористской партией.

– Бросьте, Джек. Это же просто фантастика, потрясающе прикольно.

Джек ненавидел слово «прикольно». Он считал, что это слово ничего общего не имеет с радостью и им злоупотребляют любители грубо пошутить, например столкнуть человека в бассейн. Этим словом часто пользовался Ричард Брэнсон*.

– Вы узнали что-нибудь новое? – прямо спросил Джек.

– Только то, что люди, кажется, по-прежнему, так сказать, гнут свою борозду, несмотря на требования правительства.

– Могли бы делать борозду и прямее, если дать им плуг получше и лошадку покрепче, – заметил Джек.

– Лошадку? – удивился премьер-министр. – Я говорю о высокотехнологичном сельхозоборудовании.

– Вот что я вам скажу, Эд, интересный был бы эксперимент – устроить в нашей стране демократию и посмотреть, что получится, правда?

Премьер-министр возмутился:

– Великобритания по праву считается колыбелью демократии.

Джек сказал:

– Ну да, ребенок из колыбели упал в ванну, с водой его и выплеснули.

Али надоело слушать обмен такими сложными метафорами, и он включил радио.

«...Представитель больницы подтвердил сегодня, что ампутированная нога, оказавшаяся в центре

---

* Британский магнат, основатель фирмы звукозаписи «Virgin» и авиалинии «Virgin Atlantic».

скандала, получившего название "Нога Барри", была уничтожена вследствие административной ошибки. Служащий морга задержан до выяснения обстоятельств. Наш медицинский корреспондент Марта Три сейчас находится в больнице. Марта, что вы можете нам рассказать?

– В общем-то, очень немного. Как вы уже сказали, нога была случайно уничтожена, а работник морга задержан до выяснения обстоятельств.

– Известно ли, каким образом была уничтожена нога?

– На данный момент нет.

– Известно ли, как семья восприняла весть об уничтожении ноги?

– На данный момент нет. Но, полагаю, они раздавлены горем. Обычно это так».

Джек повернулся посмотреть реакцию премьер-министра. Тот с равнодушным видом вертел в руках цыганские кольца-серьги, которые купил в стратфордском магазине «Аксессуары».

Они ехали мимо рядов больших домов. В одном из палисадников женщина в сари подрезала куст, в другом темнокожая семья любовалась новеньким автомобилем. Белые попадались не часто.

Премьер-министр это подметил, а Джек тоном экскурсовода проинформировал:

– Город Лестер полным ходом готовится стать первым городом Великобритании, в котором будет преобладать этническое большинство.

– Ваши женщины не хотят рожать детей, иннит, – рассмеялся Али.

Внезапно Джек осознал свою бездетность и пробормотал:

– У наших жен есть жизнь и без материнства.

– А моя жена, Адель, великолепно умудряется лавировать между работой, детьми и общественной деятельностью, – похвастался премьер-министр. – Уж и не знаю, как у нее получается.

Мимо мелькали магазины с индийскими и пакистанскими названиями. В кинотеатре шел бомбейский фильм. Между обувной лавкой «Рахки» и переводческим агентством «Аман» находился филиал Банка Индии. Али сказал, что пока Джек и премьер-министр будут у Нормы, он смотается к троюродному брату, который живет у эстакады в Белгрейв.

– Полагаю, вы снова насладитесь любимыми блюдами, – сказал премьер-министр, поглядывая на рестораны и магазины кулинарии.

Али озадаченно посмотрел на него.

– Мое любимое блюдо есть где угодно, – сказал он. – Это пицца с морепродуктами.

Такси ехало по району, где Джек родился и сам себя воспитал. Проезжая мимо кособоких муниципальных домов, Али покачал головой:

– Что-то мне не нравится вас тут оставлять. Вы уверены, что не хотите напрямик в Лондон?

Премьер-министру страшно хотелось оттянуть возвращение: на него уже начинало давить бремя ответственности. Он ответил:

– Нет, мы должны навестить мать Джека и выяснить, почему она не отвечает на звонки. Мы в полной безопасности, нас охраняет система видеонаблюдения.

Действительно, повсюду висели видеокамеры, медленно вращавшие любопытными объективами на 360 градусов.

– Система видеонаблюдения – фикция, Эд. Просто плохо обученные офицеры безопасности наблюдают за целым штабелем мутных расфокусированных экранов, так что все люди на улице похожи на снежного человека. Вы купились на истерию частных охранных фирм, которые жаждут контрактов.

Премьер-министр, уже опасавшийся лекций Джека, пожалел, что дал ему очередной повод для разговоров. За завтраком в Гримшо Джек до неприличия разошелся на тему нехватки детских яслей.

Джек не узнал дома своей матери и позволил Али проехать мимо дважды, прежде чем сообразил, что это, собственно, и есть дом номер десять. Он названивал сюда целый день, но ответа не было. Пока они с премьер-министром шли по дорожке, ему показалось, что между занавесками в зарешеченном окне прихожей мелькнуло лицо. Кирпичная кладка ходила ходуном от мощного ритма барабанов и бас-гитары.

Джек заколотил в дверь, обшитую стальным листом, отметив, что почтовый ящик куда-то исчез. Он удивился, как же мать получает весь этот рекламный хлам, который так любит. В прошлом она частенько звонила ему сообщить, что, по утверждению мистера Тома Шампанского из «Ридерс дайджест», она выиграла сотни тысяч фунтов.

Изнутри донесся крик Джеймса, решившего, что в дом ломятся сотрудники отдела по борьбе с наркотиками. Премьер-министр испуганно оглянулся. Он не ожидал, что мать Джека живет в таком жутком районе. На улице было пусто, а большинство домов казались нежилыми. Уже смеркалось, и премьер пожалел, что не попросил Али подождать. За всю поездку, за все эти семь дней он ни разу не испугался. Рядом с ним был Джек, твердый как колонна, хотя и из холодного мрамора. Временами премьер-министру хотелось, чтобы Джек был не такой подкованный по части политики, но ему и в голову не пришло усомниться в способности Джека справиться с любой ситуацией. Однака сейчас он видел, что Джек сам напуган, и ему не понравилась дрожь в голосе спутника, когда тот прокричал: «Мама, мама, открой».

Норма сидела за закрытой кухонной дверью. За всей этой громкой музыкой Джеймса она едва слышала свои мысли и все же разобрала, как снаружи кричит Джек. Норма хотела кинуться к двери и впустить его, но Джеймс перекрыл ей дорогу и заговорил с ней тоном, которого она уже научилась бояться. Он попыхивал своей особой самокруткой – не с травкой, а из тех, других, которые, как он уверял, когда-нибудь угробят его и от которых он начисто забывал о манерах и жутко матерился, а потом скулил, рыдал и беспрерывно бегал в уборную.

Джек велел премьер-министру:

– Ждите здесь, – и перелез через боковую калитку.

Премьер-министру хотелось убежать, но два шпингалета, привалившиеся к «мерседесу» за забором, проигнорировали его робкий дружеский полувзмах.

Джек тихо прокрался вдоль дома и оказался в огороде. Занавески в кухне были задернуты, а задняя дверь тоже укреплена. Он прижал ухо к оконному стеклу и услышал, как мать перекрикивает музыку:

– Ну пожалуйста, я должна впустить Джека!

Внутри дома Джеймс втянул полные легкие дыма, и тысячи крошечных капилляров быстро всосали химикат в кровеносную систему. Вещество достигло участка мозга, который отвечает за чувство удовольствия, и разом уничтожило миллион клеток. Способность Джеймса наслаждаться музыкой, едой, сексом и природой ослабла – раз и навсегда.

Джеймс быстро просчитал варианты, которые оставила ему паранойя, вызванная крэком. У него имелся пистолет, купленный с рук за сорок фунтов, он хранил его в жестяной банке из-под сливочного печенья в кухонном буфете. Джеймс ни разу из него не стрелял, но думал, что, когда будет надо, мигом разберется. Можно застрелить Джека и смотаться на машине; можно взять Норму в заложницы; можно впустить Джека и объяснить ему, что его мать открыла наркопритон в муниципальном доме, а это стопроцентное выселение.

Джеймс решил впустить Джека и двинулся к входной двери. Сделав последнюю затяжку, он принялся отпирать замки и засовы. Музыка колотила все его тело, зубы во рту стучали. Он открыл дверь, но Джека за нею не нашел – вместо него он увидел на пороге блондинку с серьгами-кольцами, которая при ближайшем рассмотрении оказалась переодетым мужиком. Джеймс чуть не расхохотался: эти копы из наркоотдела вообще мышей не ловят.

– Где Джек? – спросил он, втащил мужика в дом и заорал премьер-министру в лицо: – Где Джек?!

Премьер-министр часто задумывался, как бы он выдержал допросы или пытки. Но тут со стороны кухни появились Норма с Джеком.

– Я здесь, – сказал Джек, и премьер-министру так и не довелось узнать ответ на интересующий вопрос.

– Не выпить ли нам чайку? – невпопад предложила Норма.

Глава двадцать первая

Александр Макферсон спустился в пресс-службу и созвал свою команду. Сотрудники у него были в основном молодые, некоторые даже умные, но не все – одного выбрали как раз за очевидную глупость. Это был приятный парень двадцати четырех лет, по имени Бен Фоссет, которому после тщательной проверки поручили изображать доверчивого и респектабельного британского налогоплательщика.

Однажды, выступая делегатом на конференции Лейбористской партии, он заявил, что профессиональные политики могут продвигаться по партийной иерархической лестнице, только если они предельно честны на словах и в делах. Невинное заявление идеалиста Фоссета бесконечно цитировали на сборищах новых лейбористов, и каждый раз звучал беспомощный смех. Бен Фоссет сам больше всех удивился, когда его вызвали в пресс-службу дома Номер Десять и назначили особым советником. За всю свою правительственную карьеру цинизма он так и не набрался.

Макферсон облокотился о высокую офисную тумбу и изрек:

– Ладно, вот вам факты. Первое. Адель Флорэ-Клэр пережила психоз, иными словами, у нее поехала крыша, ей выписали лекарства, и теперь она в частной клинике. Второе. Нога Барри. Выпущена директива: ничего не публиковать насчет Ноги Барри, так что эта история закрыта. Мне нужно заявление по Адель, к шестичасовым «Новостям». У вас двадцать минут, значит, заводить ваши сраные ноутбуки некогда.

Фоссет сел за стол и принялся жевать кончик карандаша. Поразмыслив минутку, он написал:

«Дорогие мистер или миссис редактор,

Наша мама приболела от нервов, ей нужны покой и тишина, поэтому, пожалуйста, не пишите ничего в газетах и не говорите о ней ничего плохого по радио или по телевидению. Папы рядом нет, помочь нам он не может, потому что он уехал, чтобы сделать этот мир безопаснее ради всех детей на всей плонете.

С любовью, дети Клэр».

Когда настала очередь Фоссета зачитать вслух свои предложения, он предварил их заиканием:

– Я... э-э... в общем... решил представить, что у меня ум ребенка... э-э...

– Это несложно, – буркнул Макферсон.

– Если сумеете организовать подписи деток... э-э... А может, и фотографию найдете... Кстати, ошибка в слове «планета» сделана намеренно...

Макферсон вырвал листок из потных ладоней Фоссета, быстро пробежал его глазами и велел секретарю срочно переписать детским почерком на официальном бланке дома Номер Десять, да не забыть сохранить ошибку в слове «планета». Когда все было готово, он рванул наверх, в квартиру Клэров, где застал Моргана и Эстель, которые препирались из-за телевизионного пульта.

Он велел им прочесть и подписать письмо. Морган отказался и заявил, что письмо – полный вздор и что он в своем возрасте ни за что не допустит ошибку в слове «планета». Эстель, однако, недавно упражнялась с подписью и потому охотно поставила чудный росчерк. Макферсон взял письмо, подписался за Поппи и обратился к Моргану:

– Мне известно все о твоих планах участвовать в протестах антиглобалистов в следующем месяце, Морган. Поосторожнее с мобильным телефоном!

– Разве мы живем не в свободной стране, сэр? – осведомился Морган.

Макферсон не ответил. Эстель и Поппи будут мило смотреться на обложке «Сан». Морган своей несчастной веснушчатой физиономией только все испортил бы.

Агент Палмер присутствовал на совещании, где обсуждали план ликвидации Саддама Хусейна, призванный ускорить падение режима. Представитель министерства иностранных дел только что заявил:

– Никому, кроме премьер-министра и его христианско-социалистических дружков, не горит нападать на Ирак. Это и слишком дорого, и небезопасно, с учетом ситуации на Ближнем Востоке, а кроме того, породит утомительный поток бумаг, поскольку ни один компьютер министерства обороны не рассчитан на работу в военных условиях.

Все засмеялись и решили изучить другие варианты.

Палмер, большой любитель сладостей, как-то прочел в «Спектейторе», что у Саддама Хусейна слабость к конфетам фирмы «Куолити Стрит», и предположил:

– Наверняка он особенно жалует их помадки «Кантри».

Молодая чернокожая женщина из ЦРУ сообщила:

– Сэр, по последним данным разведки, у него теперь новая страсть – «Хрустящий апельсин в шоколаде».

– Вот вам типичный пример его оппортунизма, – буркнул представитель министерства иностранных дел.

Совещание на короткое время погрузилось в разброд и шатания, участники принялись обсуждать и сравнивать достоинства сливочного шоколада с апельсиновым наполнителем, с фундуком и с карамелью и эклеров с кокосом. Эксперт по Ираку отстаивал ириски-подушечки, пока совещание не призвали к порядку.

Палмер предложил:

– Почему бы не обратиться к биологам, пускай они добавят в «Хрустящий апельсин в шоколаде» какую-нибудь смертоносную бактерию и пошлют Саддаму баночку радости на Рождество?

Со всех сторон посыпались возражения. Кто-то сказал, что люди в «Куолити Стрит» вряд ли захотят сотрудничать, да еще наверняка затеют тяжбу с правительством. Еще кто-то вспомнил, что в Ираке Рождество не празднуют. А кто-то и вовсе предположил, что Саддам может передарить баночку одному из внучат, и нельзя быть пособниками в убийстве невинных детей.

Поскольку никто на совещании не хотел стать пособником в случайном отравлении ребенка конфетами, все единогласно решили, что внезапный ракетный удар по районам массового проживания неизбежен – разве что премьер-министр изменит решение за время своего недельного отсутствия.

В кухне раздавался только скрежет молний и металлических пуговиц, которые вращались за стеклом стиральной машины. Все четверо смотрели на чайник и ждали, пока он закипит. Их угнетала музыка, рвущаяся из соседней комнаты; премьер-министру хотелось, чтобы кто-нибудь ее выключил.

В воздухе висела вонь марихуаны и крэка. Питер стоял на полу в углу клетки и безостановочно и монотонно попискивал.

Джек сказал:

– У бедняги крыша совсем съехала.

Джеймс загородил спиной кухонную дверь, и у Джека было неуютное чувство, что если его попросить отодвинуться, атмосфера насилия еще больше накалится, хотя в кухне все и так были напряжены до предела.

Премьер-министр с интересом озирался по сторонам. Он решил, что находится в типичной кухне рабочего класса. На сушилке для посуды рядом с коробками полуфабрикатов громоздились банки из-под пива. В качестве домашнего любимца имелся довольно плюгавый попугайчик, клетка которого была выстлана страницей из таблоида «Сан», с заголовком: «Саддаму нравятся ириски "Куолити"». В пепельнице на кухонном столе возвышалась горка окурков, а рядом стоял трогательный ослик, впряженный в тележку с перечницей и солонкой. В кухне не было ни одной вещи со вкусом – Адель сочла бы все это забавным кичем.

Мать Джека, старая перештукатуренная неряха, похоже, не особо обрадовалась появлению сына. Она пыталась перекричать музыку:

– А я не понимаю, какого хрена ты возникаешь, Джек. Я же тебе велела не приезжать, сказала, что занята.

Премьер-министр заметил, что тут Норма оглянулась на Джеймса, словно старалась снять с себя вину.

Пока мать наливала кружкой кипяток в металлический заварной чайник, Джек непринужденно рассуждал о погоде, пытаясь разрядить обстановку.

Премьер-министр сморщил нос. Он узнал едкий запах: некоторые из самых беспутных студентов в Кембридже покуривали травку. Сам он марихуану никогда не курил, инстинктивно догадываясь, что ему не понравится. Теперь он подумал, не баловались ли его мать и настоящий отец тем, что тогда, кажется, называли «джазовой скруткой».

Норма сказала:

– Значит, попьешь чаю, а потом уедешь, да? – Это был скорее приказ, чем вопрос.

Джек посмотрел на Джеймса:

– Ну, как колледж?

Джеймс с презрением сказал:

– Колледж для пигмеев. В колледж ходят только слабаки. Я исхожу из принципа необходимости знаний. Чего это ради забивать голову фактами, которые мне не пригодятся?

Премьер-министр однажды слышал почти такое же высказывание из уст Майкла Хезелтайна*.

Норма сказала:

– Джеймс и без образования обойдется. Умнее его я никого не знаю. Ему всего девятнадцать, а у него уже «мерседес» есть.

Премьер-министр несмело пояснил:

– Ну, миссис Шпрот, я вот как бы думаю, что образование, так сказать, не просто должно давать нам навыки для достижения материального благополучия. Хорошее образование также повышает качество жизни и помогает нам делать свой вклад в развитие общества.

– А вы-то где учились? – спросил Джеймс.

– В Кембридже, – ответил премьер-министр, скромно потупившись.

– Ну и не больно-то вам на пользу пошло, верно? Да вы хоть на себя взгляните. Не то мужик, не то баба, причем непонятно, из какого слоя, что, не так?

Премьер-министр поправил парик и провел рукой по щетинистому подбородку. Прежде чем войти в дом, он собирался побриться, но подходящей возможности не представилось.

– Где-то я вас видел, – продолжал Джеймс. – Вы, случаем, не гардеробщик в клубе гомиков «Пудра»?

В кухонную дверь яростно забарабанили с другой стороны. Джеймс заорал, точно на собаку:

---

* Майкл Хезелтайн (р. 1933) – британский политик, консерватор, занимал ключевые позиции в британском правительстве при М. Тэтчер и Д. Мэйджоре.

– Вернись в комнату и не вылазь!

– Кто это? – спросил Джек.

– Один из наших гостей, – ответила Норма, гремя чашками и чайными ложками на блюдцах. Потом посмотрела на Джеймса: – Может, я отнесу чаю гостям?

Джеймс завопил еще громче:

– Нет! Не ходи!

Джек увидел испуганное лицо матери, встал и сказал:

– А я пойду! Я должен выключить музыку.

Он вежливо попросил Джеймса отодвинуться от двери, а когда Джеймс отказался и обозвал его фашистом, Джек поступил именно как фашист: схватил правую руку Джеймса и так свирепо вывернул ее за спину, что она чуть не сломалась. Джеймс завизжал от боли и осел на колени.

– Не обижай его, Джек! – заголосила Норма.

Джек поднял Джеймса на ноги и вытолкал через коридор в гостиную. Там было совершенно темно, но он учуял запах людей. Музыка, как живое существо, хлестала Джека по телу. Его рука потянулась к выключателю на стене у двери, но кто-то залепил его клейкой лентой.

Джек сорвал ленту, щелкнул выключателем, люстра в центре потолка вспыхнула и высветила четырех мужчин и двух женщин, которые от внезапной вспышки закрыли лица руками. Это были: бывший заведующий магазином ковров, бывшая санитарка в больнице, бывший автомеханик по шинам, агент по продаже автомобилей, портье и девушка, проживающая в общежитии для условно осужденных. Они вымолили у кого-то денег, или украли их, или взяли банковские кредиты, которые никогда не вернут, чтобы заплатить Джеймсу по пятьсот фунтов за уик-энд в его доме на всем готовеньком. В нишах по обе стороны камина стояли колоссальные аудиоколонки. Когда Джек брал уроки бальных танцев в «Palais de Danse»*, там включали колонки поменьше этих. Единственное, о чем он мог думать, – прекратить этот жуткий грохот. Он поискал глазами его источник и увидел, что колонки подсоединены через усилитель к CD-проигрывателю, стоящему на его стареньком письменном столе, рядом с его справочниками и вазой-осликом, из которой торчал букетик увядших нарциссов. Он покрутил ручки. Наконец наступила тишина, и гости Нормы воззрились на пришельца, который вторгся в их сны.

Джеймс стоял в центре комнаты и с презрением смотрел на Джека. Он жалел слабаков, которые боятся принимать крэк, – это пигмеи. Им никогда не узнать экстаза, который пережил он в первый прием. Джеймс принял позу мирового деятеля, величественную и снисходительную одновременно, и начал проповедовать:

– Цель жизни – крэк! Вот для чего мы родились, вот для чего существуем. Только избранным дано познать чудо крэка, только мы – подлинная элита. Эти избранные, – здесь он простер руку в сторону автомеханика, – святые, и они должны иметь право собираться и поклоняться крэку. Во имя крэка разрешено все. А те, кто попытается помешать культу крэка, пусть боятся насилия, пыток и смерти. Если у любителя крэка нет денег, он должен иметь право

* Дворец танца (*франц.*)

украсть у таких пигмеев, как ты и твоя мать, Джек. Убить пигмея – не грех, изнасиловать пигмея – не грех, трахнуть пигмея – не грех, похитить и пытать пигмея – не грех. Любитель крэка познал истину, а истина столь прекрасна, что нужен новый язык, дабы выразить хотя бы малую долю радости, которую она несет. Вообрази бесконечность, неизмеримые пространства, уходящие в вечную нирвану, а потом представь такую же громадную радость. Кто не захочет ощутить это чууууудо, этот кааааааайф, эту скааааааааазку...

Бог – это крэк.
Иисус – крэк.
Аллах – крэк.
Будда – крэк.
Кришна – крэк.
Авраам – крэк.
Моисей – крэк.
Мартин Лютер – крэк.
Мандела – крэк.
Бэкхем – крэк.
Пафф Дэдди* – крэк.
Крэк – это крэк.

Тут Джеймс чуть запнулся, но тут же продолжил:

– Вот что обещает крэк. И потому мы принимаем его снова и снова и снова и снова и снова и снова.

Бывшая санитарка прохныкала:

– Но это обещание невыполнимо, и мы не можем никогда никогда никогда никогда снова испы-

* Пафф Дэдди (р. 1970) – популярный американский рэп-певец, настоящее имя Шон Коумз.

тать ту же радость, неважно, сколько принимаешь и сколько тратишь.

– Но мы должны пытаться снова и снова, – возразил Джеймс. – Надежда есть всегда, мы должны верить.

Агент по продаже автомобилей сказал:

– И мы должны быть готовы отбросить семью, жен, мужей и детей, работу, друзей, деньги, собственность, жилье, уважение к себе, гордость, себя самих.

– О да! – вскричал Джеймс. – И пребудем мы в темном мире, где все нам враги, где тени желают нам смерти, где каждый звук угрожает нашей жизни, а солнце только напоминает нам, что скоро мы возжаждем, и все же нам нечего пить, и никто не оросит губ наших.

Джеймс почувствовал, как энергия оставляет его тело, лег на коврик-полумесяц перед камином и мгновенно заснул.

Джек выключил свет и тихо притворил за собой дверь, словно оставлял спящих детей. Он поднялся в спальню Нормы и снял со шкафа самый большой чемодан.

Норма тем временем рассказывала премьер-министру, как сильно он похож на премьер-министра.

– Вы же вылитый Эдвард Клэр, – говорила она. – И голос, и моргаете, и улыбка, даже зубы такие же кривые, ну все!

Премьер-министр, слегка взвинченный тирадой Джеймса, донесшейся из гостиной, мучительно пытался припомнить, как надо беседовать с людьми из рабочего сословия. Что их волнует? Морские свинки? Бинго?

Норма сообщила премьер-министру, что из него вышел бы премьер-министр в миллион раз лучше, чем из Рори Бремнера*. Потом она сменила тему:

– Я рада, что наш Джек приехал, он все уладит.

Премьер-министр автоматически среагировал:

– Наша полиция замечательно справляется.

Он спросил Норму, как, на ее взгляд, работает правительство. Та, похоже, не поняла вопроса.

– Не знаю, – ответила она. – Я политикой не интересуюсь, разве вот Рон Филлпот – он мне понравился, когда задал взбучку тому дуралею.

Безразличие Нормы странным образом успокоило премьер-министра. Какой смысл не спать ночей из-за Киотского соглашения**, когда подавляющее большинство людей спят по восемь часов в сутки, в счастливом неведении, не подозревая об опасностях атомной энергетики?

Зазвонил телефон на стене. Норма с испугом уставилась на него – Джеймс отучил ее отвечать на звонки или звонить самой.

Джек сверху услышал звонки и примчался на кухню. Звонила его сестра, Ивонна.

– Ты где? – спросил Джек с искренним интересом – в конце концов, она могла быть в любом месте мира.

– Мы только что приземлились в Лутонском аэропорту, я на шоссе, – кричала Ивонна. – Почему мама не берет трубку? Случилось что-то?

---

* Рори Бремнер (р. 1961) – комедийный актер.

** Протокол, подписанный в Киото в 1997 г.; предусматривает меры по предотвращению глобального изменения климата. В 2001 г. США (на чью долю приходится 55% всех выбросов вредных газов) в одностороннем порядке вышли из этого соглашения.

– Вот она тут на кухне, травку курит, – ответил Джек.

Ивонна завопила еще громче:

– Скажи ей, я ей бабки везу.

Джек спросил:

– А Дерек с тобой?

– Кто? – Ивонна, похоже, забыла, что двадцать шесть лет пробыла замужем за неким Дереком. – Не-а, я одна, – сказала она после паузы. – На своей машине.

Джек не мог представить сестру за рулем, да еще собственной машины, да еще мчащейся из аэропорта Лутон. Когда он видел Ивонну в последний раз, она мыла окна в своем домике на двух хозяев, в переднике и пушистых шлепанцах, а Дерек держал стул, на котором она стояла.

Норма чуть запаниковала, когда Джек ей сообщил, что примерно через час здесь будет Ивонна.

– Вонни не понравятся мои посетители, Джек.

Джека *поразила* способность матери к самообману. Назвать людей в гостиной «посетителями» – это как муравьев, забравшихся в варенье, поименовать «зваными гостями».

– Где он хранит свою дрянь, мама? – спросил Джек.

– Я не могу тебе сказать, – прошептала Норма. – Я пообещала не говорить. Он заставил меня поклясться жизнью Питера, сказал, что посадит его в микроволновку и съест с яичницей. Сказал, что украсит свои волосы перышками Питера. Я рада, что ты приехал, Джек.

Джек шепнул:

– А ты не говори, мама, просто покажи.

Норма вытащила из стола ящик с ножами и вилками, вынула из дальнего конца банку из-под табака «Олд Холборн». Внутри, завернутые в кусок темно-синего бархата, лежали мелкие блестящие камушки.

– Хрусталь? – удивился премьер-министр.

– Крэк! – ответил Джек.

Премьер-министр отпрянул, словно испугался, что один из крошечных камушков вопьется в его тело, сведет его с ума и выгонит на улицу бредить, корчить рожи и совершать немыслимые деяния против собратьев своих. У него отлегло от сердца, когда Джек прикрыл камушки бархатом, закрыл крышку и сунул баночку во внутренний карман пиджака.

Норма сказала:

– Джек, нельзя это забирать, ведь посетители вперед заплатили.

Джек посмотрел на мать.

– Я достал твой чемодан со шкафа и положил на кровать. Ступай наверх и собери его, сегодня ты уезжаешь.

– Куда ты меня везешь? – испугалась Норма.

– Не знаю.

– Я не брошу Пита, – сказала она.

– Мы возьмем его с собой, – ответил Джек, хотя, по его мнению, Пит вряд ли мог пережить долгое путешествие.

Джек остался караулить в коридоре, а Норма отправилась наверх собираться.

– Джек, – заговорил премьер-министр, – я человек, в принципе, терпимый, но крэк для меня – это своего рода рубеж, и я себя чувствую прямо-таки неприятно. Я понимаю, что для вас тут нет ничего особенного, Джек, но должен признать, что я вроде как шокирован, так сказать. Джек, ваша обязанность немедленно увезти меня отсюда. Звоните Али, пускай сейчас же приедет.

Джек злобно сказал:

– В случившемся я обвиняю вас. Вы знаете о крэке уже десять лет, и вы на него хрен положили. Убежали и сунули свою умеренную башку под одеяло, притворились, что крэк – просто такая гадость, которая сама собой пройдет, если не дергаться и делать вид, что его нет. А он вот! – заорал Джек. – В доме моей матери!

Из премьер-министра хлынула статистика. Он сослался на миллионы, потраченные на профилактику наркомании, сказал, что X процентов чего-то там потрачено на одно, и Y процентов чего-то еще выделено на другое, а в течение очередного финансового цикла планируется потратить Z процентов от X процентов.

Джек заорал:

– Ну да, а Иисуса предали восемь с половиной процентов его учеников! Проценты ничего не значат, статистика – просто херня!

Премьер-министр сообщил:

– Правительство потратило четыре с половиной миллиона фунтов на исследования.

А Джек зарычал:

– Связанная с крэком преступность обходится нашей стране в миллиарды. Вот что я вам скажу, Эд, у моей матери в гостиной сейчас целая орава экспертов по наркомании – почему бы нам не пойти туда и не поучиться у них? Вашему правительству это не будет стоить ни шиша.

Ивонна уже вполне освоилась с управлением БМВ, она смело перестроилась на скоростную полосу и давила на педаль газа, пока не разогналась до девяноста миль в час. Погода была дрянь, и Ивонна жалела, что не надела желтый кашемировый кардиган, который купила в Марбелье. Она включила печку и покрутила ручку настройки магнитолы, ища музыку поприличнее: Фрэнк Синатра, Нил Даймонд, «Куин» – что-нибудь мелодичное, чтобы можно было подпевать. Но нашла только удручающие британские новости. В крикет продули, на западе страны потоп, шоссе М25 закрыто на несколько часов, а завтра Эдвард Клэр вновь приступит к обязанностям премьер-министра, и дети премьер-министра выступили с заявлением, прося оградить личную жизнь их матери. И как это она так долго прожила в Англии, подумала Ивонна. По сравнению с Марбельей тут полная дрянь. Разве можно в Англии позавтракать на залитой солнцем террасе, в окружении бугенвиллий, прихлебывая свежевыжатый апельсиновый сок, лакомясь круассанами с настоящим кофе, любуясь бирюзовым морем? Черта с два. А разве можно разгуливать по Лестеру зимой в белой джинсовой юбке, золотистых сандалиях и с сумочкой им в тон и не выглядеть при этом дебилкой? Нет. А можно в Англии перекусить на улице в десять вечера, не отморозив титьки? Вряд ли.

Ивонна коснулась золотистой сумочки, лежавшей на пассажирском сиденье. Внутри находился пухлый конверт, набитый евро, и ей не терпелось увидеть лицо матери, когда она ей его вручит. Она хотела показать маме квартиру в пляжном комплексе, провести по белоснежным комнатам с мраморными полами и кремовой мебелью, продемонстрировать холодильник с машинкой для колки льда, отрегулировать кондиционер воздуха по маминому вкусу, ввести маму в спальню и прилегающую ванную, доказать ей, что Джек – не единственный успешный пример в семье. Может, ей и сорок восемь, зато Педро, ее нынешний любовник, говорит, что она выглядит по крайней мере лет на двадцать моложе, и она должна признать, что загар ей к лицу, как и прическа а-ля Миа Фэрроу*. Мужчина у стойки регистрации в аэропорту Малаги обвинил ее в том, что она пролезла без очереди, и назвал евромусором. Это даже комплимент: ей всегда хотелось быть европейкой, с тех самых пор, как услышала «Жизнь в розовом цвете» в исполнении Эдит Пиаф и увидела Одри Хепберн на мотоцикле «Веспа» в «Римских каникулах». Ивонна неслась мимо полей с радиомачтами станции прослушивания возле Давентри, поглядывая на водителей, которых обгоняла, и думала, какой у всех этих людей нездоровый цвет лица и как дурно они одеты. Жители Англии, похоже, здорово себя запустили.

Ивонна точно помнила 1990 год – тогда она сама себя запустила. Она лежала в спальне, поправляясь от гриппа, и нечаянно подслушала, как Дерек по телефону ведет с одним из приятелей бессвязную беседу о купленной с рук садовой постройке. Она явственно услышала слова Дерека:

– Ну, мне пора в постель, к своей туше.

* Миа Фэрроу (р. 1945) – американская кино- и театральная актриса, много снималась в фильмах Вуди Аллена.

Туша в постели. Одним-единственным словом он лишил ее пола и посрамил. Если она не болела, то бродила по дому в растянутой, бесформенной одежде. Она перестала красить волосы и перетягивала их на затылке резинкой. Брови не выщипывала, надевала носки Дерека, а волосы на ногах пробивались в щель между брюками и туфлями. Она влилась в ряды других женщин, которые себя запустили, – они были повсюду, стояли у ворот начальной школы, ждали автобуса на остановках, сидели в приемных поликлиник.

Спасла ее миссис Тэтчер. Ивонна видела, как ее героиня покинула Даунинг-стрит, рыдая на заднем сиденье лимузина, – женщина, с которой все кончено.

«Она себя запустила, прямо как я», – подумала тогда Ивонна, но через несколько месяцев Мэгги вернулась, такая же ухоженная и дерзкая, как и всегда.

Ивонну вдохновила безумная вера этой женщины в себя, но особенно ее воодушевили двадцать тысяч фунтов, которые миссис Тэтчер за один час собрала для своего фонда, призванного всемерно способствовать капитализму как главному оплоту добра. В знак одобрения Ивонна послала в Фонд Тэтчер чек на десять фунтов. Она сообщила об этом Джеку на рождественском сборище у матери, а Джек рассмеялся:

– Не жди спасибо за твою жалкую десятку, эта баба жесткая, как кокосовая стружка.

А Эдварда Клэра Ивонна терпеть не могла и даже под пытками не сумела бы сказать, за что он выступает. Он много балаболит о среднем пути, но средний – это же ничего не значит, ну разве станет кто платить серьезные деньги за места у ринга, чтобы посмотреть на боксера среднего веса?

Ивонна ни разу не пожалела, что уехала из Англии, – она поклялась уехать, если лейбористы придут в парламент. Они с Дереком всегда голосовали за лейбористов – пока на экран не ворвалась во всем своем величии миссис Тэтчер. Никто ей в подметки не годится. Во-первых, она все говорит понятно. И она же укоротила профсоюзы, верно? Профсоюз на фабрике Дерека вечно воду мутил, требовал повысить зарплату, улучшить условия труда и безопасность. Но ведь если кто влез пальцами в станок, сам же и виноват. У Дерека-то вон до сих пор все пальцы на месте. Миссис Тэтчер вымела всех этих профсоюзных смутьянов, и Дерек вовсе не возражал ходить на работу со своей туалетной бумагой, чего ради хозяин должен платить за то, что Дерек задницу подтирает? Мэгги разрешила фирме Дерека закупать листовую сталь в Индии, а не у литейщиков через дорогу. Ну да, качество не очень, но ведь впятеро дешевле, впятеро! И профсоюзам было нечего возразить, потому что заказ за заказом, и Дерек выходил на сверхурочные и по вечерам, и в выходные, и они наконец выкупили свой муниципальный дом, в котором жили с самой свадьбы, за восемьдесят процентов рыночной стоимости.

Премьер-министр удивился, что у наркош такой нормальный вид, – он ожидал явных признаков порочности и следов морального разложения.

Санитарка рассказала, что на следующей неделе ее вызывают в суд за то, что она воровала из тумбочек у своих пациентов. Ее волновало только, можно ли достать в тюрьме крэка, чтобы не ломало.

Джек сказал:

– Насколько знаю, проблем у вас не будет. Достать крэк в тюрьме проще, чем выпросить у врача аспирин.

Портье сказал, что не знает, долго ли еще сможет продержаться на работе – он уже всем кругом должен, и к нему в отель постоянно заявляются гангстеры, угрожают прострелить коленные чашечки. Сегодня пятница, вечером ему надо стоять у дверей отеля, дома он оставил жену без гроша, а ведь нужно кормить троих детей. Он велел жене ни за что никому не отпирать. Барыги теперь взяли моду наказывать должников, плещут в лицо кислотой, а он не переживет, если изуродуют красивое лицо жены, как тогда жить с женщиной, если у нее все лицо в шрамах.

Премьер-министр спросил:

– А почему вы не обратились в полицию?

Его вопрос всех развеселил.

Премьер-министр огляделся по сторонам, ожидая, что кто-нибудь объяснит, что такого смешного он сказал.

Агент по продаже автомобилей говорил очень бессвязно, и премьер-министру пришлось напрячься, чтобы понять, что зарплаты не хватает на наркотик. Он уже спустил на крэк все одиннадцать тысяч фунтов, которые отложил на свадьбу и медовый месяц. Его невеста не знает о его зависимости и не узнает до самого утра свадьбы, пока заказной лимузин не приедет и не отвезет ее в церковь, которая тоже не заказана.

Премьер-министр спросил:

– Вы пытались обращаться в службу наркологической помощи?

Санитарка ответила:

– В стране только один диспансер, и очередь на шесть месяцев. – Потом посмотрела на Джека: – Пни-ка этого скота, мне еще доза нужна.

Все повернулись к Джеймсу, который грезил на полу в полной неподвижности.

– Похоже, он мертв.

Джек прощупал пульс:

– Да нет, жив. Увы.

Премьер-министр обвел взглядом собрание:

– Зачем вы все это с собой сделали?

Ответила девушка из общежития для условно осужденных:

– Не знаю. Когда я была маленькой, только-только ходить научилась, то выпила отбеливатель из бутылки, а почему, тоже не знаю. Я раз пошла к ребятам, а там был Джеймс, и мы, значит, поспорили, кто больше текилы выпьет и не вырубится, и я выиграла, а Джеймс нам показал эти классные камушки, вот тогда был первый раз. Утром просыпаюсь, и, значит, такая развеселая, а потом вроде как прижимает. И надо сразу бежать и отсосать какому-нибудь чуваку или пугнуть прохожего, чтобы денежку дал, все так тяжко, не расслабишься, и всегда надо ловчить, мудрить, и всю дорогу я от кого-то бегаю. Мать за мной гоняется, потому что квартплату я на крэк спустила, и все меня, значит, достают, и разные улицы, куда мне нельзя сунуться, и всякие места. Полиция меня знает, проезжают мимо и орут в окно, что я уродка и на меня не встает. Они меня так и зовут – Алиса Крэк. Я сбежала в Ноттингем, но меня там крепко отмочалили, а назад я ехала поездом без билета, и, значит, мужик, который билеты проверяет, мне нахамил, а я его толкнула, ну просто толкнула, а они говорят – оскорбление действием, хотя и брешут, значит, кого хотите в городе спросите, я же мухи не обижу, если только они сами начали. Презираю этого контролера, у меня к нему никаких чувств, кроме презрения.

Бывший автомеханик по шинам злобно вмешался:

– Я сюда не трепаться пришел. Я хочу, чтобы потушили свет, и включили музыку, и еще косяк, и еще кислоты. Я заплатил, и мне надо. Я денег занял в банке. Я долги консолидировал, теперь у меня только один долг, под сложные проценты, чтобы я их выплачивал, пока мне не исполнится шестьдесят пять. – Он засмеялся. – Только хрен они с меня их получат, я к тому времени уже подохну давно.

– Консультативный совет для граждан предлагает здравые и практичные консультации по долгам, – сказал премьер-министр.

А санитарка сказала:

– Или мне сейчас дадут кислоты, или бабки назад.

Норма уже уложила в чемодан свои самые красивые вещи. Там было много блестящих шмоток и три вечерних платья, но очень мало теплой и практичной одежды. Джек услышал, как она тащит чемодан вниз по лестнице, и бросился на подмогу.

Ивонна свернула на развязке № 21, пересекла несколько двухрядных магистралей и несколько круговых разъездов размером с небольшой офшорный остров. Она миновала одноэтажные здания без окон, где что-то производилось или хранилось, и загородные торговые центры, где одинаковые магазины торговали одинаковыми товарами и где асфальтовые просторы продувались никогда не прекращающимися ветрами. Она проехала мимо кинокомплекса с прилепившимися к нему сетевыми ресторанами, где плохо приготовленные полуфабрикаты подавали клиентам, у которых не хватало смелости возмутиться, и наконец очутилась на убогой дороге, которая рассекала старый район надвое.

Было приятно услышать голос Джека по телефону. Джек слишком прямолинеен, но именно это Ивонне и нравилось в брате. Всякий раз, оказавшись перед трудным решением или моральной головоломкой, она спрашивала себя: а как поступил бы Джек?

Вскоре она уже катила мимо знакомых окраин их старого района. Единственное, чем хорошо место, где она выросла, так это тем, что до шоссе M1 только полторы мили – легко сбежать. Она сбавила скорость и посмотрела на машиностроительный комбинат, где ее бывший муж Дерек работал с тех самых пор, как бросил школу в пятнадцать лет. Дерек был прикован к станку по восемь часов в день, пять с половиной дней в неделю. Пока они жили вместе, он заработал грамоту за работу без прогулов и повесил ее на стене в кухне, но сколько ни вкалывал, они по-прежнему оставались бедными. Нет, не настолько бедными, чтобы голодать или мерзнуть, но достаточно, чтобы вечно считать деньги. Отдыхать в фургоне на море всегда ездили только на одну неделю, и упаси господи, чтобы раскошелиться на две. Они никак не могли взять в толк, почему не выходит отложить на старость или скопить на машину. В конце концов, она возненавидела Дерека за то, что он на свой завод всегда приходит первым и уходит последним.

Ивонна и Али подъехали к дому Нормы одновременно и ослепили друг друга фарами. На дорожку они шагнули тоже одновременно. Ивонна спросила Али:

– Кто такси заказал?

– Я не просто такси, – ответил Али. – Меня частным образом наняли, иннит.

Дверь открыл Джек. Увидев сестру, он вновь изумился умению женщин преображаться. Ивонна, стоявшая на пороге, словно сбросила скорлупу прежней Ивонны – она выглядела моложе, стройнее, расплывчатые силуэты прежней Ивонны исчезли, и осталась другая женщина, более четкая и угловатая.

Он отослал Али в кухню и задержал сестру в прихожей. Ивонна разумно и спокойно восприняла весть о том, что их мать открыла наркопритон, влюбилась в девятнадцатилетнего наркодилера по имени Джеймс и что сейчас этот самый Джеймс и шесть других наркоманов сидят в гостиной и либо кайфуют, либо требуют новую дозу.

Однажды Ивонна вернулась из школы домой, а перед телевизором ел спагетти-гнезда беглый зэк по имени Кевин О'Дуайер. В тот вечер она наблюдала его восторг от того, что он оказался главным героем местных новостей. Представитель полиции посоветовал в новостях не связываться с ним. О'Дуайер скатал косяк и передал его Норме со словами:

– Ты настоящий друг тому, у кого нет друзей, Норма, – тебя ждет награда на небесах.

Ивонна гордилась христианским милосердием матери, но она вздохнула с облегчением, когда О'Дуайера поймали по дороге в церковь на утреннюю литургию и вернули в тюрьму.

Когда Ивонна вошла в кухню, ее представили премьер-министру.

– Вам, наверное, уже тошно, что люди все время говорят, как вы удивительно похожи на этого козла Эдварда Клэра, – сказала она.

– Премьер-министр не козел, Ивонна, – возразил Джек, – он приличный парень, который работал как вол, просто по ошибке он попытался управлять страной без какой-либо политики.

Премьер-министр посмотрел на Джека почти с благодарностью.

Норма накинулась на Ивонну:

– Где мои деньги, ты, ворюга?

Ивонна вынула из сумочки конверт и швырнула на кухонный стол – из свертка вывалилось 38 400 евро.

– Это игрушечные деньги для «Монополии», – обиделась Норма.

– Это евро, – сообщил премьер-министр.

Али вспомнил:

– Один тип из Германии хотел мне заплатить в евро. Я его отвез в полицейский участок, а там сказали, что накажут меня за то, что я отнимаю время у полиции. Пришлось взять и поменять в банке, иннит.

Джек спросил:

– Как ты заработала столько денег, Ивонна?

– Это моя схема борьбы за права женщин, – ответила она. – У меня две женщины одновременно вносят по три тысячи фунтов, и каждая еще привлекает двух других женщин, которые тоже вносят, а потом эти две приводят по две других, а те еще по две, и так оно и идет.

– Это же пирамида, – сказал Джек.

– Министерство торговли и промышленности сейчас этим занимается, – отметил премьер-министр. – Они завалены жалобами от женщин, которые лишились сбережений.

– Я действую в Марбелье, а там у людей карманы не пустые, – объяснила Ивонна.

– Прямо как я, – сказала Норма. – Я ей дала три тысячи.

– А я тебе возвернула тридцать четыре тысячи! – заорала Ивонна.

Джек сказал:

– Ивонна, в этом мире ничего не дается даром.

– А вот тут ты ошибаешься, – возразила Ивонна. – Кое-кто получает кое-что даром. Банкиры всякие, и все им верят. Это как когда мы ходили смотреть «Питера Пэна», Джек, и все мы там должны были громко хлопать в ладоши, чтобы доказать, будто мы верим в фей... Ну вот, так и бизнес работает, в том числе и мой. Просто надо надеяться, что не все попросят вернуть деньги одновременно. А они и не просят, они заняты, все хлопают, потому что хотят верить и любить Фею колокольчиков.

– Меня никогда не водили на «Питера Пэна», – сказал Джек.

Ивонна вспомнила:

– Ах, ну да, ты прав, мы со Стюартом ходили.

Премьер-министр спросил:

– Значит, всем гарантирован выигрыш, Ивонна?

– Рано или поздно, – ответила она. – А что, интересуетесь инвестициями?

– Я бы не возражал узнать поподробнее, – подал голос Али.

Ивонна осадила его:

– Это только для женщин. С мужиками я не связываюсь, от них одни неприятности. Да и вообще, мама, – она посмотрела на Норму, – я хочу, чтобы ты поехала со мной жить в Испанию. Я в Марбелье читала тот номер «Лестер меркьюри» – одна из моих клиенток выписывает, – я чуть замертво не упала, когда увидела на первой странице твой портрет, вся избитая и в синяках... короче, едешь со мной.

– А как же Пит? – спросила Норма. – Его же в самолет не пустят.

Ивонна никогда не любила птиц и прочее зверье.

– Я куплю тебе птицу поздоровей и поярче, чтобы в ней было больше жизни, – пообещала она. – И мы будем ее держать в трехъярусной клетке на террасе.

Норма посмотрела на Питера:

– Нет, не могу я Пита оставить. Он из-за меня всякого натерпелся, так что и я из-за него потерплю.

Премьер-министр растрогался:

– Норма, я, так сказать, думаю, это, так сказать, очень трогательно.

Джек неохотно пообещал:

– Я присмотрю за Питом, мама.

– Мои дети были бы рады птичке, – вставил Али.

– Я с радостью готов приютить попугайчика, – сказал премьер-министр.

Норма сердито посмотрела на них:

– Но ведь Пит-то меня любит! – И перевела взгляд на Питера: – Я же твоя мамочка, правда, Пит?

– Мама, отправляйся оформлять паспорт, – велел Джек, – поедешь завтра с Ивонной в Марбелью на две недели, пока я тут все улажу. Пит прославится. Станет первым волнистым попугайчиком, который поселится на Даунинг-стрит, хотя и не первым с птичьими мозгами.

Из прихожей донесся шум, и Джек пошел разбираться, что там такое. Джеймс вытолкнул клиентов на улицу и теперь швырял им вслед обувь и одежду. Продавец ковров брел по тротуару босиком; санитарка собирала содержимое своей сумочки. Джеймс, похоже, уверился, что они – полицейские агенты. Он ворвался на кухню и открыл ящик стола. Увидев, что банки из-под табака нет, он обвинил Норму в том, что она перевела на себя весь крэк. Ивонна открыла было рот, но Джек стрельнул в нее предупреждающим взглядом, и она, сделав невероятное усилие, промолчала, но к матери все-таки подошла и обняла ее за плечи.

Заметив испуг премьер-министра, Джек загородил его.

Али к обществу крэкеров привык – не раз возил их по всяким хазам в поисках дури. Они почти никогда не торговались и не возражали, если он им говорил, что оставит счетчик включенным, пока они занимаются своим делом. Али по себе знал, что такое зависимость, – раньше он выкуривал по пятьдесят дешевых сигарет «Бенсон» в день и однажды тащился пешком за ними три мили до круглосуточной заправки – когда автомобиль был в ремонте. Он привык к бреду, который несут наркоманы.

– Ты должна отдать мне то, что по праву мое! – объявил Джеймс. – Я господь всемогущий.

Никто не шелохнулся и не ответил. Тогда он дотянулся до верхней полки, снял банку из-под печенья, вынул из нее маленький пистолет и приставил к виску премьер-министра, сбив парик. Волосы премьер-министра, похоже, здорово поседели за одну неделю.

– Я знал, что это вы, с самого первого дня, – соврал Али.

– Вас ждет целая куча бумаг, Али, – увсдомил Джек. – Закон о государственной тайне и все такое.

При виде такого знаменитого человека Джеймс был настолько поражен, что от неожиданности треснул премьер-министра пистолетом по голове. Премьер-министр поморщился от боли, а Джеймс испуганно спросил:

– Простите, я вам не причинил боли? – После чего сообщил доверительным тоном: – У меня есть секретная информация о Гибралтаре, господин премьер-министр. Не позволяйте этим испанским скотам прибрать Гибралтар к рукам.

И он поведал, что испанское правительство требует вернуть Гибралтар по той причине, что весь Гибралтар целиком состоит из крэка. Это единая огромная скала, геологическое чудо, дар Господень. И если добывать с толком, то крэка хватит, чтобы сделать счастливыми всех мужчин, женщин и детей нашей планеты.

Премьер-министр слушал внимательно – в точности как человек, к виску которого прижат пистолет. Потом он автоматически ответил:

– Весьма обязан достопочтенному джентльмену за информацию и обещаю передать ее по инстанциям.

Впервые в жизни премьер-министр понял выражение «если бы я оказался под дулом пистолета». Замечательно, насколько пистолет прочистил ему мозги. Первая мысль была о том, что правительство обязано предпринять нечто масштабное и колоссальное против крэка и кокаина, и, пока тянулись бесконечные секунды, премьер-министр принял решения по многим проблемам, которые мучили его в последнее время.

Нападение на Ирак стало бы безумием – вместо этого следует объявить войну нищете. В самых нищих районах страны нужно построить центры досуга. Тушингу надо отдать учить игре на электрогитаре или на скрипке – в музыкальную школу неподалеку от дома, чтобы он мог пешком ходить. Перед глазами премьер-министра замелькали картинки будущего – словно иллюстрации в журнале «Сторожевая башня», на которых свидетели Иеговы всех рас в согласии шагают по зеленым лугам у сверкающих рек, – дети бегают, прыгают и играют без каких-либо ограничений со стороны страховых компаний. Он увидел яркие уличные фонари вместо бывших камер слежения. Он увидел государственные детсады и один бесплатный детсад в конце улицы, на которой живет Тушинга, где высококлассные специалисты учат детей древнему искусству – игре. Днем Тойота сможет учиться и работать. Он увидел великолепные спортивные комплексы и новые парки, но даже под дулом пистолета его пальцы тянулись подписать очередную предвыборную программу. Следующему поколению детей и молодежи нужно дать шанс реализовать весь свой потенциал.

В долю секунды Джек выбил у Джеймса пистолет, а в следующий миг Джеймс оказался на полу под Джеком и Али.

– Не бей его, Джек, – взмолилась Норма, – он же еще ребенок.

Ивонна подобрала пистолет и стала с интересом разглядывать.

Норма велела:

– Положи его, Ивонна, ты такая неуклюжая, еще попадешь кому-нибудь в глаз.

Премьер-министр снова припомнил статистику и сообщил, что, по оценкам экспертов, в Великобритании 740 тысяч незаконных стволов и что за последние пять лет преступность с применением огнестрельного оружия выросла на восемь с половиной процентов.

Ивонна бережно отнесла пистолет к мойке, бросила его в раковину и залила водой. Из ствола забулькали пузырьки и собрались на поверхности невесомыми пулями.

У Джеймса вся боевитость улетучилась, он заплакал и сказал, что не виноват, что он такой плохой.

– Подробности нам не нужны, – оборвал его Джек. – Наверняка банальная история, как у всех, – смерть, разлука, разочарование, несправедливость и страдание, так?

Джеймс кивнул, и Джек позволил ему сесть. По лицу Джеймса лились гигантские слезы, они скатывались по подбородку и капали на футболку. Премьер-министр отвернулся, не в силах вынести это зрелище.

Али остался равнодушным:

– Если бы он приучил моих детей к крэку, я бы нанял людей оторвать ему башку, иннит. В Лидсе это делается за двести пятьдесят монет, еще и сезонная скидка есть.

Норма попросила:

– Отпусти его, Джек, вспомни нашего Стюарта.

Джек устало сказал:

– Стюарт не в кооперативном магазине героин покупал, мама, его привадил такой же скот, как Джеймс.

Норма оторвала два куска от бумажного полотенца и вручила их Джеймсу; тот высморкался и вытер глаза.

Джек попросил Ивонну подняться в комнату Нормы и найти что-нибудь, чем можно связать Джеймсу руки и ноги. Пока его связывали, Джеймс выл точно волк.

Джек сказал:

– Тебе повезло, Джеймс: ты надолго сядешь в тюрьму, сможешь там пройти учебные курсы и выйдешь образованным человеком.

Потом он отвязал клетку Пита от подставки и вывел всех из дома.

Глава двадцать вторая

Агенты Кларк и Палмер наблюдали, как из дома выходит небольшая толпа. Их смена уже закончилась, но они болтались в кабинете наблюдения, желая посмотреть, чем дело кончится. Они дождались, пока машины Али и Ивонны выехали за пределы района, а потом связались с местной службой борьбы с наркотиками, и те, проникнув наконец в дом номер десять, решили, что Джеймс исполнял там некий странный сексуальный ритуал, потому что руки и ноги у него были связаны пестрыми подвязками Нормы и собачьим ошейником, на котором болталась металлическая бляха с гравировкой «Боб».

Машины выехали из Лестера и по шоссе М1 направились на юг. Премьер-министр сидел на заднем сиденье такси, бережно держа на коленях птичью клетку. С каждой милей он все больше волновался. Он чувствовал, как его сердце окутывает страх. Чувство было знакомое. Он страшился выхода на работу. Его ждут тысячи обязанностей, и его посвятят в ужасные тайны со всего мира. Он обратился к Джеку и Али:

– Вот бы здорово доехать до Дувра, сесть на паром и исчезнуть в Европе.

Али ответил:

– Не, я скучаю по своей кровати, без Сальмы мне даже толком не спится, она толстая, а я худой, но вместе мы очень сочетаемся, иннит.

Джек повернулся к премьер-министру:

– Эд, вы не обязаны оставаться премьер-министром, никто не держит у вашего виска пистолет.

Все трое рассмеялись, и Джек попросил Али остановиться у ближайшей станции техобслуживания, потому что проголодался. Ивонна свернула на объездную полосу вслед за Али и притормозила перед главным входом. Вся компания весело направилась к ресторанному комплексу. Норма была в восхищении: у входа в одно из кафе самообслуживания высился пластиковый рог изобилия, из которого вываливались роскошные пластиковые фрукты и овощи; на краешке рога лежала пригоршня пыльной кукурузы; невидимые руки разложили вокруг рога мини-коробочки с сухим завтраком «Келлог», дабы изобилие было полным. У премьер-министра рот наполнился слюной. Вместе с Али и Ивонной он подошел к стойке с горячими блюдами. Джек вручил матери поднос и попросил выбрать все, что она захочет, а потом извинился и сказал, что ему надо сделать пару звонков.

Первый звонок был Александру Макферсону, Джек известил его, что они вернутся на Даунинг-стрит до восхода солнца.

Макферсон ответил:

– Я только что получил потрясающее сообщение от нашей дебильной службы безопасности, будто в доме вашей матери арестован мужчина, который заявляет, что премьер-министр Эдвард Клэр связал его женскими подвязками и украл у него крэк. Что там за херня?

– Я все объясню в отчете, Макферсон, – ответил Джек. – Закажите номер в «Трэвел Инн» возле Лутонского аэропорта для моей матери и сестры и купите им билеты на первый утренний рейс до Малаги.

– За кого вы меня держите? Я вам что, сраное турбюро? – возмутился Александр Макферсон.

– Это управление прессой, Макферсон. У женщин в нашей семье длинные языки.

Макферсон спросил:

– А чем сейчас Эдди занят?

– Стоит в очереди за дежурным блюдом. За ним пристроился дальнобойщик и пытается заглянуть в вырез платья.

Макферсон сказал, что ждет устного отчета в два часа пополудни.

Джек пообещал, что сделает. С другой стороны, он не мог гарантировать присутствие премьер-министра, который всерьез сомневался относительно своего политического будущего.

Александр Макферсон сказал:

– Ваши маленькие каникулы должны были его ободрить. Если он уйдет, Шпрот, он и нас с вами потянет.

Джек заглянул в кафе и увидел, как премьер-министр прячет в сумочку пакетики с солью, перцем и сахаром.

Джеку нужно было сделать еще один звонок. Он хотел поговорить с Памелой, он чувствовал, что река выходит из берегов; он должен немедленно сказать ей, что любит ее, – Джек боялся, что если не скажет этого сейчас, то поток рутины унесет его прочь от Памелы. Он прислонился к рогу изобилия и набрал номер. Когда Памела ответила, по шуму на заднем плане он догадался, что она на псарне, проверяет на ночь собак. У него отнялся язык, как только он услышал ее крик «Алло! Алло!» на фоне собачьего лая.

– Ты, Джек? – спросила Памела.

– Я, – ответил он.

– Ты где?

– На заправке «Гап» в Уотфорде.

Она засмеялась:

– Пресловутый «Гап» в Уотфорде – развилка между суровым севером и нежным югом.

Джек услышал щелчок зажигалки и подумал, не закурить ли самому; он был уверен, что, если поднапрячься, рано или поздно понравится. Он робел признаваться в любви, зная, что его признание услышат станции слежения всей планеты, и все же он признался, – почему бы, собственно, миру и не послушать?

– Я тебя люблю, – сказал он.

– О! – удивилась она.

Последовала долгая пауза, потом Памела пожелала собакам спокойной ночи. Стало тихо, только слышался звук ее дыхания. Джек представил, как она шагает по дорожке к дому. Он ощущал ее отсутствие как физическую боль, ему хотелось оказаться там, на кухне, сидеть за столом, ждать с выпивкой и чистой пепельницей. Наконец тишину нарушил плеск жидкости, наливаемой в стакан.

Джек спросил:

– Отмечаешь, Памела? – Он решил всегда называть ее Памела, и никогда – Пам.

– Собственно говоря, да, – ответила она. – Мне уже много лет никто не говорил, что меня любит, и еще больше лет я сама не любила.

– Я не верю в любовь с первого взгляда, – сообщил Джек.

– Я тоже, – ответила Памела.

– Значит, мы с тобой раньше встречались, – сказал Джек.

– Скорее всего, – согласилась она.

– Я через несколько часов вернусь в Лондон. Ты когда приедешь угощаться китайской кухней?

– Скоро. С тех пор как ты уехал, я тренируюсь есть палочками.

Норма крикнула Джеку, что кофе остывает.

– Я еще позвоню, – официально сказал Джек. – Спокойной ночи, любимая.

Он зашел в сувенирную лавку и купил глупое пушистое животное, что-то вроде медведя. В передних лапах существо держало красное атласное сердце, на котором какая-то дальневосточная фабрика вышила «Я тебя люблю».

Позже, в машине, когда премьер-министр спросил, что в пакете, Джек показал ему медведя:

– Это для вашей сестры.

Премьер-министр предупредил:

– Пам такие штуки терпеть не может. В детстве она ужасно жестоко обращалась с моими игрушками.

Джек уверенно возразил:

– Эта ей понравится.

В следующий раз караван из двух машин остановился у мотеля рядом с Лутонским аэропортом, откуда самолет унесет Ивонну с Нормой по перегруженному небу в аэропорт Малаги, а дальше они отправятся в Марбелью.

Осмотрев свой номер, Норма вышла с Ивонной на автостоянку попрощаться с Питером. Попугайчик сидел в своей клетке на заднем сиденье такси – светлое пятнышко в темноте. Рядом громыхало шоссе. Норма опустилась на корточки, велела ошалевшей птичке вести себя хорошо и сказала, что ни за что не позволила бы Джеймсу посадить его в микроволновку. Она также сообщила Питеру, что он – самое важное существо в ее жизни. Джек с Ивонной иронически переглянулись.

– Ну спасибочки, – пробормотала Ивонна.

Через прутья клетки Норма погладила перышки на голове птицы:

– Ну, пока, Пит.

Премьер-министр заявил:

– Я вам скажу просто, Норма: сделаю все, что в моих силах, чтобы помочь Питеру стать полноправным членом моей семьи. Он переедет в клетку, отвечающую европейским стандартам, и будет регулярно получать ветеринарное обслуживание.

– Ему нравится, когда с самого утра с ним разговаривают, – сообщила Норма.

– Ладно, ма, им уже пора, – вмешалась Ивонна.

Она была права. Джек ерзал от нетерпения. Он поцеловал мать в щеку и заверил ее:

– Ты была чудесной матерью, для Пита.

Норма кивнула на прощанье премьер-министру и Али, потом взяла Ивонну за руку и отправилась в «Трэвел-Инн». Не успела дверь закрыться, как они услышали:

– А в Марбелье травка-то здорово дешевле, Ивонна?

Джек обратился к премьер-министру:

– Она была ужасной матерью для нас с Ивонной и Стюартом. Лентяйка, эгоистка и дикая невежда, гордилась, что ни одной книжки не прочла. Моя мать – пролетарская соль земли.

Премьер-министр сказал:

– Ну что ж, Джек, теперь все мы – средний класс.

Джек возразил:

– Не глупите, Эд. Вы можете представить, чтобы Тойота давала званый обед и обсуждала цены на недвижимость и премию Тернера?*

Адель проснулась и обнаружила, что на улице темно, а она одна в маленькой комнате. Она откинулась на больничных подушках и потрогала пустоту, где раньше находился ее прежний нос. Потом ощупала повязки, покрывавшие новый нос, и поняла, что никто уже не сможет за глаза называть ее Конкордом.

Адель посмотрела на белый потолок, где отплясывали джигу две мушки. Она чувствовала приятную истому, не хотелось ни говорить, ни даже выражать мнение по каким бы то ни было вопросам.

На тумбочке у кровати лежали книги, но Адель утомляла сама мысль о том, чтобы открыть их и почитать. Она вспомнила, что замужем за премьер-

* Одна из самых важных и престижных европейских наград в изобразительном искусстве, присуждается Советом галереи Тэйт с 1983 г.

министром Великобритании Эдвардом Клэром, что является матерью Моргана, Эстель и Поппи, что она писала книги и статьи, читала лекции, присутствовала на совещаниях и устраивала обеды и приемы, что она умеет печатать, кататься на лыжах, нырять, работать на компьютере, водить машину, говорить по-французски, по-немецки и по-итальянски, стряпать, гладить, выводить пятна с ковра и жонглировать. Но ей сейчас нравилось просто лежать на этой высокой белоснежной кровати и наблюдать за мушиной суетой. Ей нравилось просто быть.

Малкольм Блэк, сидя в постели, читал «Положение рабочего класса в Великобритании в 1844 году» Фридриха Энгельса. Он помечал особо важные места для Моргана Клэра – как и обещал. Ханна вышла из ванной в короткой хлопчатобумажной ночнушке, пахнущая мылом и зубной пастой, и сказала:

– Ой, Мал, ты опять исчеркал ручкой всю простыню.

Малкольм положил ручку и торжественно кивнул, приняв к сведению жалобу жены, но не прекратил листать книгу. Он искал один жутковатый абзац о популяции крыс в Большом Манчестере. Ханна скользнула в постель, наклонилась и вынула бумаги из нагрудного кармана его пижамы: у него была привычка писать заметки, пока не заснет.

Ханна купила ему карманный диктофон, но Малкольм не сумел его освоить, и диктофон валялся без дела в ящике тумбочки, вместе с остальными приборами, которые он не освоил.

Ханна расправила одну из бумажек и прочла:

«Дорогой Эд.

С глубочайшим сожалением заявляю сегодня о своей отставке...»

Потом разгладила другую бумажку.

«Дорогой Эд.

С глубочайшим сожалением вынужден сообщить, что в Ваше отсутствие меня посетила делегация членов парламента и сторонников Новой Лейбористской партии, которые обратились ко мне с просьбой принять на себя Ваши обязанности премьер-министра...»

В третьей записке говорилось:

«Дорогой Эд.

С глубочайшим сожалением вынужден сообщить, что я намерен образовать новую политическую партию, которая будет называться Старая Лейбористская партия...»

Ни одна из записок не была закончена или подписана.

– Вот, послушай, – сказал Малкольм Блэк. И прочел вслух: – «Когда существовали общие угодья, бедняки могли пасти ослов, свиней или гусей, а у детей и молодежи было место, чтобы развлечься и побыть на воздухе; однако все это постепенно уходит в небытие. Заработки рабочих падают, а молодежь, лишенная своих мест увеселения, идет в пивные».

– Или в притоны с крэком, – пробормотала Ханна. – Мал, зачем ты помогаешь Моргану с этими заданиями? Разве это не обязанность его родителей?

– Мальчик изучает социализм, – ответил Малкольм. – Эд и Адель ничего не смыслят в этом предмете.

Ханна положила голову на его широкую грудь и вздохнула:

– Какую из этих записок ты закончишь?

– Возможно, все три, – засмеялся он.

– Я обоснуюсь в деревне, а ты, когда станешь премьер-министром, сможешь приезжать ко мне и к детям, если они заглянут на выходные, правда?

Малкольм сказал, что, по его мнению, это очень дельная мысль.

Автомобиль Али въехал в ворота на Даунинг-стрит по разрешающему жесту коллег Джека. Дверь в дом Номер Десять отворилась и быстро впустила премьер-министра с клеткой в руках, Джека и Али. Джек получил инструкции провести премьер-министра прямиком наверх, а Али оставить на попечение офицера безопасности, которая представилась как миссис Поллок.

Увидев премьер-министра, Александр Макферсон загоготал:

– Боже мой, Эд, у тебя вид дешевой шлюхи.

Оскорбленный премьер-министр опрометью кинулся в ванную и хлопнул дверью.

– Полегче с ним, Макферсон, – сказал Джек, – эта женщина на грани нервного срыва.

Наутро Эстель спустилась в гостиную и застала отца разговаривающим с самим собой.

– Я ведь не обязан дальше тянуть лямку, Пит? – вопрошал премьер-министр.

Тут Эстель поняла, что он обращается к птичьей клетке, в которой сидел потрепанный попугайчик цвета ее любимого бледно-голубого карандаша.

Отец сообщил, что попугайчика зовут Питер.

Клетка была мятая и ржавая, но через несколько часов Питера переселили в новое жилище, предоставив в его распоряжение то, что владелец зоомагазина на Пимлико назвал «новейшими аксессуарами для волнистых попугайчиков».

После обеда Эстель, забравшись с ногами в кресло, пристально наблюдала за Питером, пытаясь угадать, сколько ему лет. По данным из Интернета, попугайчики живут от шести до девяти лет. Эстель подумала, что у Питера усталый и замученный вид, почти как у людей среднего возраста, которые окружают ее в ее собственной клетке на Даунинг-стрит. Она приказала себе не грустить, готовясь ко дню, когда он умрет. Умирают все: люди, цветы, птицы, рыбки, мамы и папы, дети и собаки, звезды и деревья. В конечном счете, подумала Эстель, что бы мы ни делали, это ничего не изменит.

Однажды она сказала об этом матери, но Адель ответила, что экзистенциализм не повод отлынивать от домашней работы. Мама сказала, что папа – хороший пример человека, который что-то меняет, он уже изменил лицо британской политики.

Морган проспал до полудня, потом влез в камуфляж, натянул сапоги и пошел вниз поздравить отца с возвращением. Бедный папа разбирался в груде официальных красных папок, но, увидев Моргана, отложил ручку, протянул руку и сказал:

– Морган, дружище, как дела, сын?

Морган ударился коленями об угол стола, спеша в объятия к отцу.

– Ну, как в бункере, папа? Круто?

– Я очень много нового узнал о себе, Морган, – ответил премьер-министр.

– Например? – спросил Морган.

Премьер-министру очень хотелось поведать Моргану о людях, с которыми он встретился, о местах, которые видел, о пережитом. Вместо этого он ответил:

– Я тебе просто скажу, Морган, Великобритания готова к худшему из сценариев.

– Папа, ты говоришь как политик, – сказал Морган.

– Но я и есть политик, дружище, – улыбнулся премьер-министр.

– Политик, у которого нет своей политики, – пробормотал Морган.

– Не говори глупостей, Морган, у меня весьма четкая политическая философия, – сказал премьер-министр.

Морган взволнованно возразил:

– У тебя ее нет, папа. Я изучал твои речи, искал признаки ясного социалистического мировоззрения, но ничего не нашел. Ты как эти священники, которые никак не могут решить, то ли Бог есть, то ли его нет. Если не уверены, значит, пора оставить церковь и заделаться социальными работниками или чем-то в этом роде.

Премьер-министр встал и смел со стола красные папки – они с грохотом посыпались на пол.

– Я социальный работник этой страны, Морган, – объявил он. – Я всё для всех. Я вижу все точки зрения. Пытаюсь всех осчастливить. И когда ты, так сказать, немного повзрослеешь, возможно, и ты поймешь всю сложность и двусмысленность современной политики.

Морган подобрал папки и водрузил их обратно на письменный стол.

– Нашей семье не помешала бы помощь социального работника.

Премьер-министр выбрался из-за стола и изрек:

– Семья – самое важное в моей жизни.

– Неправда, папа, – страстно возразил Морган. – Мы где-то между Африкой и Ближним Востоком. Ты принес нас в жертву, когда победил на выборах. А ведь мы могли быть нормальными, папа, пойми, просто нормальными!

– Я хотел стать твоим героем, Морган.

– Все мои герои умерли, кроме одного, – печально сказал Морган.

– И кто же он? – спросил премьер-министр.

Однако Морган не смог заставить себя сказать отцу, что его герой – Малкольм Блэк. Вместо этого он ответил:

– Рок, чемпион по борьбе.

Эдвард взял детей в больницу навестить мать. Поппи потянула повязку на носу Адель. Под глазами Адель темнели синяки, но сами глаза сияли. Эстель сообщила матери о Питере и сказала, что хочет завести зоомагазин, когда вырастет. Адель согласилась с ней, что такая жизнь – просто удовольствие. Морган произнес краткую речь о порочности содержания живых существ в клетках и потребовал, чтобы Питеру по меньшей мере дважды в день разрешали облетать комнату.

Семья провела дебаты по данному вопросу и пришла к соглашению, что дверца клетки будет оставаться открытой то время, которое определит Эстель.

Эпилог

Джек стоял у двери дома Номер Десять, облокотившись на черные перила, и наблюдал за погрузкой фургона транспортной фирмы. Традиционный первомайский день протеста прошел мирно. Зафиксировали отдельный случай мародерства: из витрины на Риджент-стрит похитили несколько шотландских килтов, а теперь участники акции протеста возвращались к своим поездам и автобусам, проведя день на свежем воздухе.

С Трафальгарской площади доносились отголоски последних митинговых речей.

На крыльцо вышел Малкольм Блэк и встал рядом с Джеком, ожидая, пока за ним прибудет автомобиль.

– Чудный вечер, господин премьер-министр, – сказал Джек.

Малкольм посмотрел на ворота, за которыми собралась большая толпа. Он помахал толпе рукой. Его жест вызвал приветственные крики и свист в равной пропорции. Автомобиль наконец подъехал, и Малкольм Блэк сел на место рядом с водителем.

Джек посмотрел вверх и увидел, как на фоне бледного вечернего неба порхает крошечный зеленовато-синий мазок. Питер. Джек сорвался с места. Он преследовал Питера по улице под ироничное подбадривание полицейских и толпы у ворот.

Питер пролетел вдоль Уайтхолла до Кенотафа, где посидел, не замеченный толпой внизу. А потом, поскольку Джек был не в силах его остановить, полетел прямо на Трафальгарскую площадь, туда, где большие птицы и верная смерть.

В серии "ЗЕБРА" вышли книги:

1. **Сью Таунсенд**
«Тайный дневник Адриана Моула»
2. **Сью Таунсенд**
«Страдания Адриана Моула»
3. **Сью Таунсенд**
«Адриан Моул: дикие годы»
4. **Сью Таунсенд** *«Мы с королевой»*
5. **Тим Паркс** *«Дорогая Массимина»*
6. **Тим Паркс** *«Призрак Мими»*
7. **Уильям Сатклифф** *«А ты попробуй»*
8. **Лорен Хендерсон** *«Земляничная тату»*
9. **Кристофер Мур**
«Ящер страсти из бухты грусти»
10. **Лайза Джуэлл** *«Тридцатник, и только»*
11. **Джон О'Фаррелл**
«Лучше для мужчины нет»
12. **Стелла Даффи** *«Сказки для парочек»*
13. **Кристофер Мур**
«Практическое демоноводство»
14. **Сью Таунсенд**
«Адриан Моул: годы капуччино«
15. **Сюзанна Тамаро** *«Только для голоса»*
16. **Джонатан Коу** *«Дом сна»*
17. **Стивен Фрай**
«Теннисные мячики небес»
18. **Джонатан Коу** *«Случайная женщина»*
19. **Уильям Сатклифф** *«Новенький»*
20. **Джефф Николсон** *«Бедлам в огне»*
21. **Джонатан Коу** *«Какое надувательство!»*
22. **Стивен Фрай** *«Гиппопотам»*
23. **Стелла Даффи** *«Идеальный выбор»*
24. **Джон О'Фаррелл** *«Это твоя жизнь»*
25. **Сью Таунсенд** *«Номер 10»*

готовится к выходу:

Майк Рипли "Город Ангела"

СЬЮ ТАУНСЕНД

НОМЕР 10

Серия «Зебра»

Перевод Андрея Егорихина

Редактор Игорь Алюков

Корректоры Ольга Андрюхина, Светлана Липовицкая

Художник Андрей Румянцев

Компьютерная верстка обложки Юлии Горюновой

Компьютерная верстка Маргариты Алеевой

Директор издательства Алла Штейнман

Отпечатано с готовых диапозитивов издательства
"Фантом Пресс" в типографии АО "Молодая гвардия".
Подписано в печать 28.01.04 г. Формат 70x100/32.
Печать офсетная.Усл. изд. л. 14,3. Заказ № 43039
Тираж 7000 экз. Бумага офсетная. Гарнитура «Гарамон».
Лицензия на издательскую деятельность код 221
серия ИД № 00378 от 01.11.99 г.
Адрес издательства "Фантом Пресс":
125015, г .Москва, ул. Новодмитровская, д. 5А, 1700
Адрес типографии АО "Молодая гвардия":
ул. Новодмитровская, д.5А
Диапозитивы обложки изготовлены в редакции
еженедельника "Собеседник"

По вопросам оптовой реализации книг серии "Зебра" обращаться по телефону 787-34-63

E-mail: phantom-press@mtu-net.ru

ISBN 5-86471-338-4
9 785864 713389 >

101 ESSENTIAL TIPS

HOMEOPATHY

CUPRUM
TRITURATION
B&T QUALITY
LACHESIS.
THESE TRITURATIONS ARE PREPARED WITH PURE COB CRYSTAL SUGAR OF MILK ONLY.
PREPARED BY
BOERICKE & TAFEL
PHARMACISTS.
BOERICKE & TAFEL
EUPHRASIA
Fresh Plant Tincture
TRITURATION
B&T QUALITY
LYCOPODIUM.
THESE TRITURATIONS ARE PREPARED WITH PURE COB CRYSTAL SUGAR OF MILK ONLY.
PREPARED BY
BOERICKE & TAFEL
PHARMACISTS.
55, Bishop